嚥下障害
診療ガイドライン 2024年版

Clinical Practice Guidelines for the Diagnosis and Management of Dysphagia 2024

一般社団法人 日本耳鼻咽喉科頭頸部外科学会 編
JAPANESE SOCIETY OF OTORHINOLARYNGOLOGY-HEAD AND NECK SURGERY

金原出版株式会社

『嚥下障害診療ガイドライン2024年版』（第4版）
ガイドライン作成委員

委員長	兵頭　政光	細木病院こえと嚥下のセンター
委　員	大前由紀雄	大生水野クリニック
	香取　幸夫	東北大学医学部耳鼻咽喉・頭頸部外科
	唐帆　健浩	じんだい耳鼻咽喉科
	木村百合香	昭和大学江東豊洲病院耳鼻咽喉科
	熊井　良彦	長崎大学医学部耳鼻咽喉科・頭頸部外科
	田山　二朗	田山・皿井耳鼻咽喉科・ボイスクリニック
	津田　豪太	聖隷佐倉市民病院耳鼻咽喉科
	二藤　隆春	国立国際医療研究センター病院耳鼻咽喉科・頭頸部外科
	藤本　保志	愛知医科大学医学部耳鼻咽喉科・頭頸部外科
	部坂　弘彦	部坂耳鼻咽喉科医院
	海老原　覚	東北大学大学院医学系研究科臨床障害学分野
	巨島　文子	諏訪赤十字病院リハビリテーション科
	藤谷　順子	国立国際医療研究センター病院リハビリテーション科
	山本　敏之	国立研究開発法人国立精神・神経医療研究センター脳神経内科
	山脇　正永	東京医科歯科大学医学部脳神経内科
	井上　誠	新潟大学医歯学総合病院口腔リハビリテーション科
	菊谷　武	日本歯科大学口腔リハビリテーション多摩クリニック
	倉智　雅子	国際医療福祉大学成田保健医療学部言語聴覚学科
	柴本　勇	聖隷クリストファー大学リハビリテーション学部言語聴覚学科

編　集　一般社団法人　日本耳鼻咽喉科頭頸部外科学会

2024年版（第4版）刊行にあたって

わが国にはすでに超高齢社会が到来しており，高齢の嚥下障害患者は急速に増加している。嚥下機能はQOLに直結し生命維持にも関わる重要な機能であり，嚥下機能の障害は，食事摂取不良によるフレイルや誤嚥性肺炎，窒息など，多くの問題の原因となりうる。嚥下障害は，医療や介護の現場では大きな課題となっているが，その原因や病態は多岐にわたり患者の状態もさまざまであることから，適切な対応は難しいのが現状である。これに対しては多職種連携やチーム医療が重要であり，その際には標準的な評価や診断の手順，適切な治療やリハビリテーションの方法を広く共有する必要がある。

一般社団法人 日本耳鼻咽喉科頭頸部外科学会（以下，日耳鼻）は，2008年に耳鼻咽喉科医を対象として『嚥下障害診療ガイドライン』（以下，本ガイドライン）を作成した。2012年の第2版では嚥下造影検査など新たな情報も取り入れながら改訂を加えた。初版および第2版では，ガイドラインの利用者を主に耳鼻咽喉科医として初期対応に重きを置いていたが，2018年の第3版では嚥下障害診療に関わる全ての医療者を対象とし，評価や治療についても具体的な内容が盛り込まれた。

今回の第4版では，「Minds診療ガイドライン作成マニュアル2020 ver.3」に準拠し，改訂委員およびシステマティックレビュー委員を関連する診療科および言語聴覚士から選定して作成した。利用者としては，嚥下障害患者の診療に関わる医療者（医師，歯科医師，言語聴覚士，看護師，管理栄養士，理学療法士，作業療法士等）を想定しているが，嚥下障害における意思決定支援を目的としていることから，対象となる患者およびその家族も利用者に含まれることとした。Clinical Questionにおける推奨については，改訂委員会委員の投票によって決定した。

人材育成として，日耳鼻の関連する学会である日本嚥下医学会では，嚥下診療の質の向上と円滑な医療連携を図る目的で，所属専門領域学会の認定専門医への“嚥下相談医”，および認定言語聴覚士や認定看護師への“嚥下相談員”の制度を構築し，運用している。

以上のように，標準化，多職種連携，人材育成が進むことで，嚥下障害患者に対して適切な対応が進んでいくものと考えられる。

最後に，本ガイドライン改訂の最中，委員の部坂弘彦先生（部坂耳鼻咽喉科医院）および津田豪太先生（聖隷佐倉市民病院）が急逝された。部坂先生は開業医の立場から，医師会と協力して地域での嚥下障害診療連携体制の確立に尽力された。津田先生は嚥下障害診療に関わるメディカルスタッフと協働し，リハビリテーションや外科的治療を駆使して多くの患者さんの経口摂取を回復させた。そしてお二人は，本ガイドライン改訂においても多大な貢献をしていただいた。両先生を含め，本ガイドラインの改訂に携わった全ての先生方のご努力に深く感謝する。

令和6年8月16日

一般社団法人 日本耳鼻咽喉科頭頸部外科学会
理事長　大森孝一

第３版の序

超高齢社会の到来により嚥下障害患者が増加している。高齢者が良好なQOLを維持するために，在宅や介護施設における嚥下障害患者への対応は社会的，医学的にも大きな問題となっている。また嚥下障害を有する幼小児への対応についても課題が多く，医療の現場における嚥下障害の診断・治療の充実は急務である。

嚥下障害診療に携わる医療者は，嚥下器官の解剖や機能，嚥下運動の生理などの基盤的知識が不可欠である。したがって口腔・咽喉頭の解剖と機能を熟知し，嚥下内視鏡や嚥下造影検査に精通している耳鼻咽喉科医が嚥下障害診療の主な役割を担うことにより，正確な診断と適切な治療方針の策定・実施ならびに指導が可能になり，診療上の安全や患者の安心が担保される。

しかしながら嚥下障害の診療は，障害の原因が多岐にわたることから，耳鼻咽喉科医だけではなく他科の医師や言語聴覚士など多職種の医療連携が重要であり，リハビリテーション科医，神経内科医，呼吸器内科医，消化器内科医，消化器外科医，そして咀嚼や舌による送り込みなど口腔相を担う歯科医師をはじめ言語聴覚士，看護師，管理栄養士など，多くの分野の医療スタッフの協力が不可欠となる。特に在宅や介護施設における嚥下診療においては，かかりつけ医やケアマネージャーの理解や協力も必要となる。

このような背景から，日本耳鼻咽喉科学会の関連する学会である日本嚥下医学会では，嚥下診療の質の向上と円滑な医療連携を図る目的で，所属専門領域学会の認定専門医に対しての“嚥下相談医”，ならびに認定言語聴覚士や認定看護師などに対する“嚥下相談員”の制度を構築した。これにより嚥下障害患者に対して適切な対応が促進されることが期待される。

日本耳鼻咽喉科学会では，2008年に「嚥下障害診療ガイドライン」の初版を発刊し，2012年に嚥下造影検査を加筆するなどの改訂を加えた。そして嚥下診療に関する診断・治療技術の進歩に伴い，新たな知見の追加や内容の充実を図るため，今回の改訂となった。初版および第2版では，ガイドラインの利用者を主に耳鼻咽喉科医として初期対応に重きを置いていたが，第3版では嚥下障害診療に関わる全ての医療者を対象とし，評価や治療についても具体的な内容が盛り込まれている。このガイドラインが耳鼻咽喉科医をはじめとする関連領域の医師や歯科医師のみならず，嚥下障害患者に関わる医療スタッフや他職種の方々に広く利用され，さらに行政や医師会にも広く活用され，今後増加すると考えられる在宅や介護施設における嚥下障害患者のQOLの向上に大いに貢献することを期待する。

最後に，本ガイドラインの策定に携わった委員会の先生方のご努力に深く感謝を申し上げる。

2018年8月

一般社団法人日本耳鼻咽喉科学会理事長
東京慈恵会医科大学名誉教授
森山　寛

第２版の序

「嚥下障害診療ガイドライン」の初版が発刊されてからすでに4年が経過した。初版発刊時に第5回を迎えていた嚥下障害講習会は，現在までさらに5回が行われ，受講者総数は約960人に達した。この嚥下障害講習会や日耳鼻専門医講習会などによる嚥下，あるいは嚥下障害に対する取り組みの結果，耳鼻咽喉科医が嚥下機能あるいはその障害を扱うという基盤が少しずつ耳鼻咽喉科医のなかに定着してきている。耳鼻咽喉科医が嚥下を扱う理由は，嚥下に関する解剖学的な構造やその機能を最も理解している医師が耳鼻咽喉科医であり，その診療にあたる最適者だからである。もちろん，耳鼻咽喉科医だけがそれを行うのではなく，耳鼻咽喉科医を中心とした医療チームが必要になることもしばしばである。

第2版は内容の全面改訂ではなく，中改訂といったところである。耳鼻咽喉科一般外来で一助となるという本来の目的をさらに進化させるための改訂ということになった。とはいえ，全く新しい項目としてⅨに「嚥下造影検査」が加わった。嚥下障害の原因と病態を明らかにするため，あるいは，治療効果の判定などに非常に有用な検査である。それに対応して，CQ6に「嚥下造影検査が必要と判断されるのはどのような場合か？」が提示された。また，保存的治療と外科的治療に関する情報が，初版に比べ多くなった。さらに，CQ8の「嚥下訓練のエビデンスはどこまでわかっているか？」で，嚥下訓練の有用性に関するエビデンスの少ないこと，今後の研究の必要性などが述べられている。

終わりに，第2版の発刊に努力された嚥下障害ガイドライン作成委員会の諸先生に感謝し，本ガイドラインが初版に増して広く，深く活用していただけるよう祈るものである。

2012年4月

一般社団法人日本耳鼻咽喉科学会理事長

八木　聰明

初版の序

嚥下という身体機能は，食塊が通過する時間的経過から，口腔期，咽頭期，食道期に分けられ，それぞれが末梢性と中枢性の精密な神経調節を受けている。

したがって，嚥下機能が障害された患者の診療は，口腔，咽頭・喉頭，食道とその周辺部位の構造と機能を十分に理解した医師が担当することがぜひ必要である。

この認識に立って，（社）日本耳鼻咽喉科学会（日耳鼻）は耳鼻咽喉科医の「嚥下障害に関する診療を一層充実させる」ことを目的として，平成15年4月に第1回嚥下障害講習会を開催した。以来今日までに5回の嚥下障害講習会を開催して，毎年多数の受講者を集めてきた。また，日耳鼻専門医講習会においても毎回のように，実技講習として「嚥下機能検査」を行っている。

特に，平成19年11月17日に開催した第21回日耳鼻専門医講習会においては，本診療ガイドラインの作成に役立てる目的を兼ねて，開業医家ならびに一般病院の耳鼻咽喉科医のための講演：嚥下障害-耳鼻咽喉科外来における対応-を企画した。この企画についてさらにいえば，耳鼻咽喉科の嚥下専門外来ではない，「耳鼻咽喉科一般外来」における対応という視点に立ち，嚥下障害を1. 精神機能・身体機能の評価，2. 簡易検査の位置づけ，3. 嚥下内視鏡検査の有用性，4. 外来における指導・治療，5. より専門的な医療機関への紹介について取り挙げた。

耳鼻咽喉科専門医にとって，このような機会を活かした自己研修によって，嚥下障害に関する診療能力の一層の充実を図ることが求められる。

それと同時に，耳鼻咽喉科を嚥下障害のために受診すれば，このように対応する，という診療内容の明示が単に医師のためだけでなく，患者と医療・介護に携わる人々のためにも急切の要事である。

この診療内容の明示を目的として，日耳鼻は嚥下障害診療ガイドラインの作成を急いできた。

診療ガイドラインについては，先に「EBMを用いた診療ガイドライン　作成・活用ガイド」（中山健夫著，金原出版，平成16年）を発行して，診療ガイドラインとは患者と臨床医の“かたわら”にあって，「問題にぶつかったときに，それを解決する手助け」になるべきものという見解を表明している。このたび，上記の見解に合致した嚥下障害診療ガイドラインが，久　育男先生を中心とした本ガイドライン作成委員会の大前由紀雄，田山二朗，馬場　均，兵頭政光，堀口利之先生の真摯なご努力，ならびに中山健夫，廣瀬　肇先生の絶大なご協力ご指導によって完成をみたことは喜ばしい限りである。

終わりに，医療のキュアからケアへの移行に伴って今後ますますニーズが増してくる嚥下障害への対応が，本診療ガイドラインの活用によって一層充実していくことを祈っている。

2008年3月

（社）日本耳鼻咽喉科学会・前理事長
九州大学名誉教授
上村　卓也

目 次

第3章 Clinical Questions（CQ）

Clinical Questions（CQ）・推奨一覧

C Q		推　奨	推奨の強さ 合意率
CQ1 (p.52)	嚥下機能評価に簡易検査は有用か？	嚥下障害が疑われる患者に対して，医師の指示の下に看護師や言語聴覚士が嚥下機能の簡易検査を行って嚥下障害や誤嚥のある患者を選定し，早期に介入することで誤嚥性肺炎のリスクを軽減できる可能性がある。脳卒中以外の疾患に関して簡易検査の有用性に関する高いエビデンスはいまだ示されてはいないが，脳卒中急性期に行う場合には，嚥下障害や誤嚥の早期発見によって肺炎発症率や死亡率は低減し入院期間は短縮する強いエビデンスがある。嚥下障害が疑われるものの，ただちに嚥下内視鏡検査（VE）や嚥下造影検査（VF）を行えない場合には簡易検査を行うことを勧める。	・強い推奨 ・合意率88％ (14/16)
CQ2 (p.55)	嚥下内視鏡検査は治療法の選択に有用か？	嚥下内視鏡検査は，誤嚥や喉頭侵入，早期咽頭流入，咽頭残留など，主要な嚥下動態の指標において嚥下造影検査に匹敵する検出力を有することから，嚥下障害の治療法選択において極めて有用であり，実施することを強く推奨する。ただし，内視鏡挿入による違和感や誤嚥の検出精度の問題も考慮して実施し，必要に応じて嚥下造影検査など，他の検査も併施することが望ましい。	・強い推奨 ・合意率87％ (13/15)
CQ3 (p.58)	舌圧測定は嚥下機能の評価に有効か？	舌圧測定単独で嚥下障害を予測できるという，エビデンスレベルの高い報告はいまだない。しかしながら，最大舌圧値が舌運動障害や嚥下障害と相関するという疫学研究が複数報告されている。また脳卒中やパーキンソン病，筋萎縮性側索硬化症の患者における最大舌圧値の低下は嚥下障害発症の早期診断に役立つという報告もあり，侵襲性がなくベッドサイドでも施行できる舌圧測定は，嚥下機能の一つの指標となり得る。	・弱い推奨 ・合意率88％ (15/17)
CQ4 (p.61)	嚥下圧検査は治療方針決定にとって有用か？	嚥下圧検査を用いた嚥下障害の病態把握や治療効果の評価に関する多くの研究や症例報告がある。特に食道入口部機能の定量的評価を基に，各種リハビリテーション手技の有効性や嚥下機能改善手術による治療前後の評価を後方視的に行った有効な知見が蓄積されている。嚥下圧検査が治療方針決定に有用であるとする確実性の高いエビデンスがある研究は多くないが，治療方針決定に対する嚥下圧検査の施行は有用である。	・弱い推奨 ・合意率81％ (13/16)

C Q		推 奨	推奨の強さ 合意率
CQ5 (p.64)	義歯や口腔内装置は嚥下機能改善に有効か？	義歯や口腔内装置が嚥下機能改善に有用とするエビデンスレベルは高くない。一方で，症例報告や症例対照研究において，効果を示す報告が多い。摂食嚥下リハビリテーションにおいては，義歯や舌接触補助床（Palatal Augmentation Prosthesis：PAP）をはじめとした口腔内装置の特性を踏まえつつ，あくまでも嚥下機能を改善する可能性のある装具であることを理解したうえで，通常の機能訓練などと組み合わせて行われるとよい。	・弱い推奨 ・合意率88% (15/17)
CQ6 (p.67)	嚥下障害患者に対する姿勢調整は誤嚥防止に有用か？	嚥下障害患者に対する姿勢調整は，経口摂取に際し，誤嚥防止や，残留の減少などが期待できる手法であり，実施可能な症例に対しては強く推奨する。	・強い推奨 ・合意率68% (11/16) ・作成委員会による議論のうえ推奨を決定した
CQ7 (p.69)	呼吸筋訓練は嚥下機能の維持・改善に有効か？	呼吸筋訓練のうち，呼気筋訓練では嚥下造影検査におけるPenetration-Aspiration Score（PAS）の改善が認められたというシステマティックレビューが複数ある。さらに，呼気筋訓練を呼吸リハビリテーションと組み合わせることにより，嚥下造影検査で評価された嚥下機能が改善されたという報告が，パーキンソン病と急性脳血管障害患者であった。以上のことより，呼吸筋訓練は嚥下機能の維持・改善に対して行うことが推奨される。	・弱い推奨 ・合意率93% (15/16)
CQ8 (p.72)	嚥下障害患者に対する神経筋電気刺激療法は，嚥下機能改善に有用か？	嚥下障害患者に対する嚥下機能改善に神経筋電気刺激療法（NMES）が有効であることは，複数のランダム化比較試験やシステマティックレビューで認められており，特に脳卒中後の嚥下障害への効果については確実性の高いエビデンスが示されている。しかしながら，従来行われている嚥下訓練より優れていることは示されておらず，従来の訓練と併用することで高い上乗せ効果が得られる。	・弱い推奨 ・合意率88% (14/16)
CQ9 (p.76)	嚥下障害患者に対する嚥下機能改善手術は嚥下機能改善に有用か？	嚥下障害患者に対する嚥下機能改善手術は，障害の病態にあった術式が選択されると嚥下動態を改善させることができる。輪状咽頭筋切断術については，重度の嚥下障害が上部食道括約筋（UES）の機能障害に関連している場合に提案する。喉頭挙上術については喉頭挙上制限や咽頭期惹起遅延に対して提案される。	・弱い推奨 ・合意率93% (15/16)

ＣＱ		推奨	推奨の強さ 合意率
CQ10 (p.79)	サルコペニアの嚥下障害において栄養管理は嚥下機能の改善に有効か？	サルコペニアの嚥下障害は全身の筋肉と嚥下関連筋の筋肉量ならびに筋力低下に起因する。サルコペニアの嚥下障害では，身体・高次脳機能の状況により嚥下訓練が困難な場合，栄養管理をしても嚥下機能が改善しないことがある。一方で嚥下訓練が可能な場合には，嚥下関連筋の訓練を含むリハビリテーションと栄養管理の両者を実施することが，嚥下機能の改善に有用である。	・弱い推奨 ・合意率76％（12/17） ・作成委員会による議論のうえ推奨を決定した
CQ11 (p.82)	脳卒中急性期患者に対する嚥下訓練は，嚥下機能の改善に有効か？	脳卒中急性期患者に対する嚥下訓練によってFunctional Oral Intake Scale（FOIS）の向上，誤嚥の軽減，嚥下造影検査（VF）所見の改善，個別機能の向上が示されている。また，在院日数や肺炎発症率を減少させることが確認されており，嚥下訓練の実施が推奨される。	・強い推奨 ・合意率81％（13/16）
CQ12 (p.85)	嚥下障害患者に対する胃瘻造設術は誤嚥性肺炎の発症の予防に有効か？	嚥下障害による栄養障害が懸念される場合，栄養管理の観点からは胃瘻造設術は有用な栄養投与経路の一つであり，経鼻胃管よりもQOLの改善が得られる。一方，胃瘻による栄養投与が経鼻胃管および未施行群との比較で誤嚥性肺炎を有意に予防するというエビデンスはない。したがって，本ガイドラインでは，誤嚥性肺炎の予防を目的としたPEGに関する推奨は提示しない。	・推奨は提示せず
CQ13 (p.88)	重症嚥下障害患者に対する誤嚥防止手術は，生活の質（QOL）の改善に有用か？	重度嚥下障害に対する誤嚥防止手術は，経口摂取状況・日常動作機能・炎症反応・気管吸引回数・医療経済的負担を改善する効果があり，患者および介護者のQOL改善につながる。一方で，術後には発声機能などを失う欠点がある。このため，保存的治療に抵抗する重度嚥下障害に対しては，患者や家族の希望や生活環境などを考慮した上で，誤嚥防止手術を検討することが望まれる。	・弱い推奨 ・合意率88％（15/17）

嚥下障害診療アルゴリズム

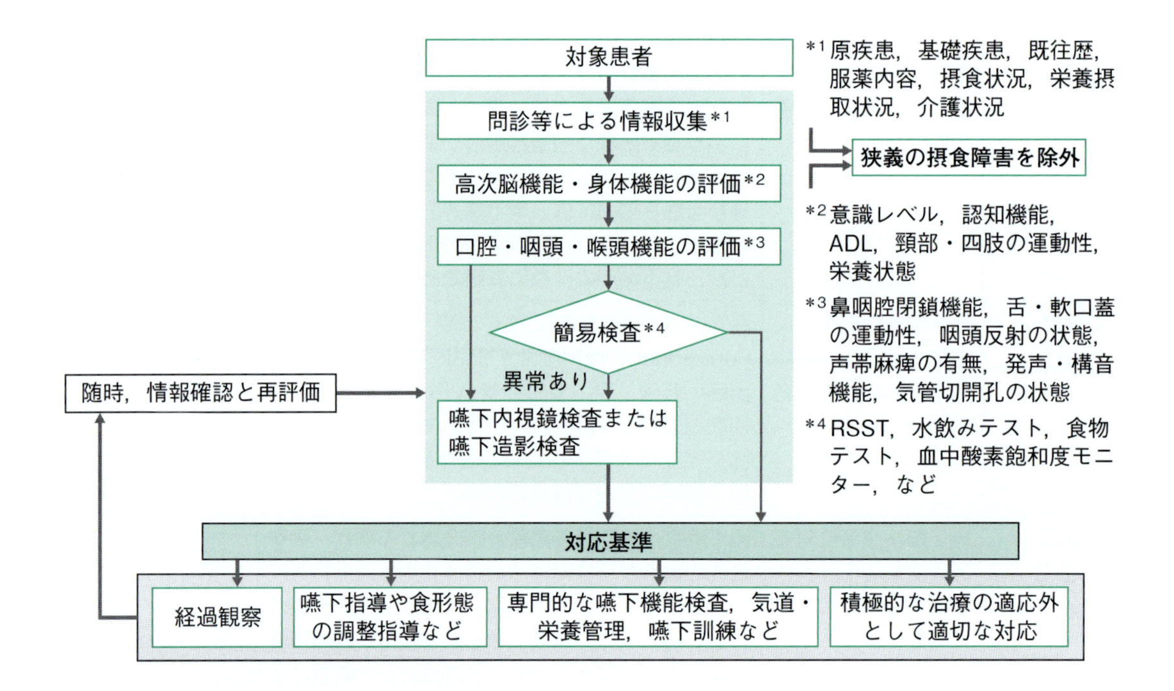

嚥下障害のある，あるいは疑われる患者に対しては，まず問診や診療録等から原疾患，基礎疾患，既往歴，服薬内容，摂食状況，栄養摂取状況，介護状況などについて情報を収集する。次いで，意識レベル，認知機能，ADL，頸部や四肢の運動性，栄養状態を評価する。そして，これらの結果から，拒食症など狭義の摂食障害を除外する。

次に，内視鏡等を用いて口腔・咽頭・喉頭機能の評価を行う。嚥下機能の評価では嚥下内視鏡検査または嚥下造影検査を基本とするが，これらの検査が実施できない場合には，RSSTや水飲みテストなどの簡易検査を行う。簡易検査で明らかな異常がある場合には，嚥下内視鏡検査または嚥下造影検査の実施を改めて検討する。

以上の結果を基にして，①そのまま経過観察を行う，②嚥下指導や食形態の調整指導などを行って経過観察を行う，③より専門的な嚥下機能検査や気道・栄養管理，あるいは専門的な嚥下訓練を高次医療機関に依頼する，④積極的な治療介入の適応外として，個々の患者に応じた適切な対応を行う，のいずれかの初期対応を行う。その後も，随時，患者情報の確認や機能評価を実施し，必要に応じて対応方針の見直しを行う。

第1章　序論

1-1 ガイドライン作成の目的

嚥下障害患者の診療を担当する医療者を対象として，嚥下障害の病態評価，診断，治療の標準的な流れを示すことで，嚥下障害患者あるいはそれが疑われる患者に対する適切な対応を支援することを目的とした。推奨と，その根拠となる文献の具体的な関係は，ガイドラインの各項目で記述した。

なお，実際の診療においては患者の病態，医療的・社会的・経済的状況によって，診療を担当する医療者が最も適切と判断する対応が優先され，本ガイドラインの示す推奨度は，あくまでも意思決定を支援するものであることを付言しておく。

1-2 作成の背景・沿革

本邦をはじめとして世界の先進国では社会の超高齢化が進んでおり，それを背景に嚥下障害患者は急速に増加している。嚥下障害患者においては，経口的に必要な量の食事摂取ができないことと併せて，誤嚥による肺炎発症が問題となる。このため，様々な医療・介護の現場でその対応が大きな課題となっている。しかし，嚥下障害は患者ごとに原因や病態が様々で，さらに嚥下障害患者の裾野は極めて広いことから，一部の嚥下障害診療の専門家だけで全ての患者に対応することはできず，標準的な評価・診断・治療の手順や方法を嚥下障害に関わる医療者が共有することが求められる。

このことから一般社団法人日本耳鼻咽喉科頭頸部外科学会（以下，日耳鼻）は，2008年に一般耳鼻咽喉科医を対象として「嚥下障害診療ガイドライン」（以下，本ガイドライン）を作成した。本ガイドラインは本邦ではもとより，世界でも嚥下障害を対象とした初の診療ガイドラインである。その後，新たな情報も取り入れながら2012年に内容が一部改訂され，さらに2018年には対象者を嚥下障害診療に関わる全ての医療者に拡げるとともに，新たな知見も含めて改訂された。今回，ガイドライン作成委員を関連する診療科や職種にも拡げ，最新の知見も含めたうえで，より実践的な内容に改訂した。

1-3 作成者

本ガイドラインは日耳鼻が，嚥下障害診療ガイドライン作成委員会を編成し，改訂委員およびシステマティックレビュー（SR）委員を関連する診療科（耳鼻咽喉科，リハビリテーション科，脳神経内科，歯科口腔外科）および言語聴覚士から選定して作成した。

表1-1 ガイドライン作成委員会委員一覧

ガイドライン作成委員

氏名		所属
委員長	兵頭 政光	細木病院こえと嚥下のセンター
委 員	大前 由紀雄	大生水野クリニック
	香取 幸夫	東北大学医学部耳鼻咽喉・頭頸部外科
	唐帆 健浩	じんだい耳鼻咽喉科
	木村 百合香	昭和大学江東豊洲病院耳鼻咽喉科
	熊井 良彦	長崎大学医学部耳鼻咽喉科・頭頸部外科
	田山 二朗	田山・皿井耳鼻咽喉科・ボイスクリニック
	津田 豪太※	聖隷佐倉市民病院耳鼻咽喉科
	二藤 隆春	国立国際医療研究センター病院耳鼻咽喉科・頭頸部外科
	藤本 保志	愛知医科大学医学部耳鼻咽喉科・頭頸部外科
	部坂 弘彦※	部坂耳鼻咽喉科医院
	海老原 覚	東北大学大学院医学系研究科臨床障害学分野
	巨島 文子	諏訪赤十字病院リハビリテーション科
	藤谷 順子	国立国際医療研究センター病院リハビリテーション科
	山本 敏之	国立研究開発法人国立精神・神経医療研究センター脳神経内科
	山脇 正永	東京医科歯科大学医学部脳神経内科
	井上 誠	新潟大学医歯学総合病院口腔リハビリテーション科
	菊谷 武	日本歯科大学口腔リハビリテーション多摩クリニック
	倉智 雅子	国際医療福祉大学成田保健医療学部言語聴覚学科
	柴本 勇	聖隷クリストファー大学リハビリテーション学部言語聴覚学科

※津田豪太委員，部坂弘彦委員はガイドライン作成中に逝去

システマティックレビュー（SR）委員

氏名		所属
委 員	池田 怜吉	岩手医科大学医学部耳鼻咽喉・頭頸部外科
	井口 はるひ	東京大学医学部附属病院リハビリテーション科
	稲本 陽子	藤田医科大学保健衛生学部リハビリテーション学科
	上羽 瑠美	東京大学医学部附属病院摂食嚥下センター
	兼岡 麻子	東京大学医学部附属病院リハビリテーション部
	川上 里奈	聖隷佐倉市民病院リハビリテーション科
	佐藤 豊展	聖隷クリストファー大学リハビリテーション学部言語聴覚学科
	杉山 庸一郎	佐賀大学医学部耳鼻咽喉科・頭頸部外科
	小森 正博	高知大学医学部耳鼻咽喉科
	竹内 美緒	昭和大学医学部耳鼻咽喉科頭頸部外科
	田中 加緒里	愛媛大学医学部附属病院耳鼻咽喉科・頭頸部外科
	谷合 信一	防衛医科大学校医学科耳鼻咽喉科

氏　名	所　属
栃木 康佑	獨協医科大学埼玉医療センター耳鼻咽喉・頭頸部外科
永見 慎輔	川崎医療福祉大学リハビリテーション学部言語聴覚療法学科
中島 純子	東京歯科大学オーラルメディシン・病院歯科学
西尾 直樹	名古屋大学医学部附属病院耳鼻咽喉科
西田 大輔	東海大学医学部専門診療学系リハビリテーション科学
藤原 和典	鳥取大学医学部耳鼻咽喉・頭頸部外科
古川 竜也	神戸大学医学部耳鼻咽喉科・頭頸部外科
松原 慶吾	熊本保健科学大学保健科学部リハビリテーション学科言語聴覚学専攻
丸尾 貴志	愛知医科大学医学部耳鼻咽喉科・頭頸部外科
村松 倫	国立国際医療研究センターリハビリテーション科
毛利 永吏子	富山県厚生農業協同組合連合会高岡病院
雪野 広樹	杏林大学医学部付属病院耳鼻咽喉科・頭頸科

外部評価委員

氏　名	所　属
委　員　青柳 陽一郎	日本医科大学大学院医学研究科リハビリテーション学分野
井口 郁雄	広島市こども療育センター耳鼻咽喉科
清水 充子	埼玉県総合リハビリテーションセンター言語聴覚科
水口 俊介	前東京医科歯科大学大学院医歯学総合研究科高齢者歯科学分野
谷口 洋	東京慈恵会医科大学附属柏病院脳神経内科

1-4 資金提供・利益相反

本ガイドラインは，日耳鼻の事業費により作成された。日耳鼻は，本ガイドラインの内容に関連する特定の団体・企業からの支援を受けていない。

ガイドライン改訂委員会の委員の利益相反（Conflict of Interest：COI）を「日本医学会診療ガイドライン策定参加資格ガイダンス」（日本医学会COI管理ガイドライン2022）に基づき，**表1-2**の通り開示する。

1-5 利用者

嚥下障害患者の診療に関わる医療者（医師，歯科医師，言語聴覚士，看護師，管理栄養士，薬剤師，理学療法士，作業療法士等）を利用者と想定する。なお，これらの医療者がガイドラインを利用する際には，ガイドラインに記された診療行為が，医療者の専門領域や経験，

表1-2　嚥下障害診療ガイドライン作成委員会委員の利益相反（COI）に関する開示

	参加者自身の申告事項									配偶者・一親等親族または収入・財産を共有する者についての申告事項			所属する組織・部門の長に関する申告事項（参加者が組織・部門の長と共同研究の立場にある場合）	
氏名	役員・顧問	株保有・利益	特許権使用料	講演料	原稿料	研究費	奨学寄附金	寄附講座	その他	役員・顧問	株	特許権使用料	研究費	奨学寄附金
大前 由紀雄														
香取 幸夫														
唐帆 健浩														
木村 百合香														
熊井 良彦														
田山 二朗														
二藤 隆春														
兵頭 政光						株式会社明治								
藤本 保志														
海老原 覚														
巨島 文子														
藤谷 順子						株式会社タケショー								
山本 敏之				武田薬品工業株式会社										
山脇 正永														
井上 誠														
菊谷 武														
倉智 雅子														
柴本 勇														

序論

設備などによって実施困難な場合があることを，利用者自身が判断する必要がある。また，嚥下障害における意思決定支援を目的としていることから，対象となる患者および患者家族も利用者に含まれる。

1-6 対象

本ガイドラインの主たる対象者は，嚥下障害およびそれを疑う患者である。高度の高次脳機能障害やいわゆる拒食症などによる狭義の摂食障害は，対象から除外する。

1-7 ガイドライン使用上の注意

本ガイドラインはあくまで作成時点で最も標準的と考えられる指針を示したものであり，実際の診療行為を規制するものではない。その使用にあたっては，診療環境の状況（人員，経験，設備など）や個々の患者の状況を加味して柔軟に対応すべきである。ガイドラインの記述内容については日耳鼻が責任を負うが，診療結果についての責任は直接の診療担当者に帰属するべきであり，日耳鼻および本ガイドラインの作成委員は一切の責任を負わない。

1-8 エビデンスの収集

本ガイドライン作成委員会が，Minds診療ガイドライン作成マニュアル2020 ver.3に準拠し，SCOPE（ガイドライン作成の企画書）を作成し，PICO（P：patients，problem，population；I：intervention；C：comparisons，controls；O：outcomes）を用いてCQを設定した。アウトカムはCQごとに，委員の合議により設定した[1)]。

1 文献検索および組み入れ論文の選択

CQに関する文献はPubMed，Cochrane CENTRAL，医学中央雑誌Web版のデータベースを対象とし，言語は英語または日本語とした。文献検索は，特定非営利活動法人日本医学図書館協会に依頼した。各CQごとの検索式は**表1-3**に示す。検索期間は原則として2000年1月1日〜2021年12月31日としたが，それ以外の期間の文献についても委員会で必要と認めたものは組み入れた。文献検索により抽出された文献の一次スクリーニングをガイドライン

表1-3　Clinical Question検索式

CQ1 嚥下機能評価に簡易検査は有用か？	
Cochrane	(deglutition OR dysphagia OR swallowing) AND (bedside OR water) AND (test OR tests OR screening) AND diagnosis
PubMed	"deglutition disorders" [tw] AND water [tiab] AND (bedside [tiab] OR test [tiab] OR tests [tiab]) AND (english [la] OR japanese [la]) AND 2000：2021 [dp]
医中誌	((嚥下障害/TH or 嚥下障害/AL) and (舌圧/TH or 舌圧/AL)) and (DT＝2000：2021 PT＝会議録除く)
CQ2 嚥下内視鏡検査は治療法の選択に有用か？	
Cochrane	(deglutition OR dysphagia OR swallowing) AND "endoscopic evaluation"
PubMed	"deglutition disorders/diagnosis" [majr] AND "endoscopic evaluation" [tiab] AND (english [la] OR japanese [la]) AND 2000：2021 [dp]
医中誌	(嚥下障害/MTH and 消化管内視鏡法/MTH) and (DT＝2000：2021 PT＝会議録除く ((SH＝診断的利用，診断，画像診断，X線診断，放射性核種診断，超音波診断) OR (診断/TI)))
CQ3 舌圧測定は嚥下機能の評価に有効か？	
Cochrane	(deglutition OR dysphagia OR swallowing) AND "tongue pressure"
PubMed	(deglutition OR dysphagia OR swallowing) AND "tongue pressure"
医中誌	((嚥下障害/TH or 嚥下障害/AL) and (舌圧/TH or 舌圧/AL)) and (DT＝2000：2021 PT＝会議録除く)
CQ4 嚥下圧検査は治療方針決定にとって有用か？	
Cochrane	(deglutition OR dysphagia OR swallowing) AND manometry AND pharyngeal
PubMed	(deglutition OR dysphagia OR swallowing) AND manometry AND pharyngeal
医中誌	(嚥下障害/MTH and (検圧法/TH or 検圧法/AL) and (咽頭/TH or 咽頭/AL)) and (DT＝2000：2021 PT＝会議録除く SH＝診断的利用，診断，画像診断，X線診断，放射性核種診断，超音波診断)
CQ5 義歯や口腔内装置は嚥下機能の改善に有用か？	
Cochrane	(deglutition OR dysphagia OR swallowing) AND denture AND (prosthesis OR prostheses)
PubMed	(deglutition [majr] OR "deglutition disorders" [majr]) AND (denture [mesh] OR palatal [tw]) AND (prosthesis [tw] OR prostheses [tw]) AND (english [la] OR japanese [la]) AND 2000：2021 [dp]
医中誌	(嚥下障害/MTH and (義歯/TH or 義歯/AL) and (人工器官移植/TH or 補綴/AL)) and (DT＝2000：2021 PT＝会議録除く)
CQ6 嚥下障害患者に対する姿勢調整は誤嚥防止に有用か？	
Cochrane	(deglutition OR dysphagia OR swallowing) AND posture
PubMed	"deglutition disorders/therapy" [majr] AND (posture [mesh] OR "behavior therapy" [mesh]) AND (english [la] OR japanese [la]) AND 2000：2021 [dp]
医中誌	(嚥下障害/MTH and 姿勢/MTH) and (DT＝2000：2021 PT＝会議録除く)

CQ7 呼吸筋訓練は嚥下機能の維持・改善に有効か？	
Cochrane	(deglutition OR dysphagia OR swallowing) AND (muscle OR muscles) AND training AND strength
PubMed	"deglutition disorders" [majr] AND "respiratory muscles" [mesh] AND "muscle strength" [tw] AND training [tw] AND (english [la] OR japanese [la]) AND 2000：2021 [dp]
医中誌	((嚥下障害/TH or 嚥下障害/AL) and (呼吸筋/TH or 呼吸筋/AL) and ((体育とトレーニング/TH or 訓練/AL) or トレーニング/AL or training/AL)) and (DT＝2000：2021 PT＝会議録除く)

CQ8 嚥下障害患者に対する神経（筋）電気刺激療法は，嚥下機能改善に有用か？	
Cochrane	(deglutition OR dysphagia OR swallowing) AND (electric AND stimulation)
PubMed	"deglutition disorders/therapy" [majr] AND "Electric Stimulation Therapy" [majr] AND (english [la] OR japanese [la]) AND 2000：2021 [dp]
医中誌	(嚥下障害/MTH and (電気刺激療法/TH or 電気刺激療法/AL)) and (DT＝2000：2021 PT＝会議録除く)

CQ9 嚥下障害患者に対する嚥下機能改善術は，嚥下機能改善に有用か？	
Cochrane	(deglutition OR dysphagia OR swallowing) AND (surgery OR surgical) AND sphincter
PubMed	deglutition disorders [majr] AND "esophageal sphincter, upper" [mesh] AND surgery [sh] AND (english [la] OR japanese [la]) AND 2000：2021 [dp]
医中誌	(嚥下障害/MTH and (上部食道括約筋/TH or 上部食道括約筋/AL)) and (DT＝2000：2021 PT＝会議録除く SH＝外科的療法)

CQ10 サルコペニアの嚥下障害において，適切な栄養管理は嚥下障害の改善に有用か？	
Cochrane	(sarcopenia OR sarcopenic) AND (deglutition OR dysphagia OR swallowing)
PubMed	(("deglutition disorders" [tw] AND sarcopenia [tw]) OR "sarcopenic dysphagia" [tiab]) AND (english [la] OR japanese [la]) AND 2000：2021 [dp]
医中誌	((嚥下障害/TH or 嚥下障害/AL) and ((筋肉減少症/TH or 筋肉減少症/AL) or (筋肉減少症/TH or サルコペニア/AL))) and (DT＝2000：2021 PT＝会議録除く)

CQ11 脳卒中急性期患者に対する嚥下訓練は，嚥下機能の改善に有効か？	
Cochrane	(deglutition OR dysphagia OR swallowing) AND "acute stroke" AND (exercise OR rehabilitation OR training)
PubMed	"deglutition disorders" [majr] AND stroke [majr] AND acute [tw] AND (exercise [tw] OR training [tiab] OR rehabilitation [tw]) AND (english [la] OR japanese [la]) AND 2000：2021 [dp]
医中誌	(嚥下障害/MTH and (脳卒中/TH or 脳卒中/AL) and 急性/AL and ((体育とトレーニング/TH or 訓練/AL) or (リハビリテーション/TH or リハビリテーション/AL))) and (DT＝2000：2021 PT＝会議録除く)

CQ12 嚥下障害患者に対する胃瘻造設は誤嚥性肺炎発症の予防に有効か？	
Cochrane	(deglutition OR dysphagia OR swallowing) AND gastrostomy AND aspiration
PubMed	"deglutition disorders" [majr] AND gastrostomy [majr] AND "Pneumonia, Aspiration" [mesh] AND (english [la] OR japanese [la]) AND 2000：2021 [dp]
医中誌	(嚥下障害/MTH and 胃造瘻術/MTH and (肺炎-誤嚥性/TH or 肺炎-誤嚥性/AL)) and (DT＝2000：2021 PT＝会議録除く)

CQ13 重症嚥下障害患者に対する誤嚥防止術は，生活の質（QOL）の改善に有用か？	
Cochrane	(deglutition OR dysphagia OR swallowing) AND (surgery OR surgical) AND ("quality of life" OR QOL)
PubMed	("deglutition disorders" [majr] OR larynx/surgery [majr] OR "respiratory aspiration" [mesh]) AND surgery [sh] AND ("quality of life" [majr] OR "treatment outcome" [majr]) AND (english [la] OR japanese [la]) AND 2000：2021 [dp]
医中誌	(嚥下障害/MTH and (生活の質/TH or 生活の質/AL)) and (DT＝2000：2021 PT＝会議録除く SH＝外科的療法)

表1-4 エビデンスのレベル分類

I	システマティックレビュー/RCTのメタアナリシス
II	1つ以上のランダム化比較試験による
III	非ランダム化比較試験による
IVa	分析疫学的研究（コホート研究）
IVb	分析疫学的研究（症例対照研究，横断研究）
V	記述研究（症例報告やケース・シリーズ）
VI	患者データに基づかない，専門委員会や専門家個人の意見

作成委員が行った。一次スクリーニング後の各論文についてSR委員がレビューシートを作成した上で，二次スクリーニングを行った。二次スクリーニングでは，ランダム化比較試験のシステマティックレビュー，個々のランダム化比較試験の文献を優先し，それらがない場合はコホート研究，ケースコントロール研究などの観察研究の文献まで拡大して組み入れ文献を選択した。

2 エビデンスレベルの決定

上記で組み入れた論文より，エビデンスレベルを評価した。個別の文献のエビデンスレベル評価の指標が掲載されている『Minds診療ガイドライン作成の手引き2007』に基づいてエビデンスレベルを分類した[2)]。Iはシステマティックレビュー/ランダム化比較試験のメタアナリシス，IIは1つ以上のランダム化比較試験による，IIIは非ランダム化比較試験による，IVaは分析疫学的研究（コホート研究），IVbは分析疫学的研究（症例対照研究，横断研究），Vは記述研究（症例報告やケース・シリーズ），VIは患者データに基づかない専門委員会や専門家個人の意見とした（**表1-4**）。

3 推奨の決定

「嚥下障害」は「疾患」ではなく「症候」であることを背景とし，The Grading of Recommendations Assessment, Development and Evaluation (GRADE) を用いての推奨の提示は困難と判断した。そこで，本ガイドラインでは，診療上の重要度の高い医療行為について，明確な理論的根拠や大きな正味の益があると，診療ガイドライン作成委員会が判断した医療行為を提示するものを，Good Practice Statement（GPS）として推奨を決定することとした。

推奨の決定には，SRによるエビデンスの他，益と害のバランス，コストや資源，実施可能性などの観点をふまえ，個々のCQごとに作成委員が投票を行い決定した。推奨は「強い推奨（行う）」，「弱い推奨（行う）」，「弱い推奨（行わない）」，「強い推奨（行わない）」の4段階とした。推奨決定は，作成委員全員の投票により行った。委員の80％以上の投票を条件とし，投票者の80％以上の合意が得られた場合に推奨を決定し，80％に満たない場合には，投票結果を開示した上で再度投票を行った（Delphi法）。3回の再投票を行っても合意に至らない場合は，作成委員会で議論のうえ推奨を決定した。また，議論によって推奨することが適切でないと判断されたCQについては，推奨の決定を見送った。

1-9 用語について

本ガイドラインにおける用語は，原則として日耳鼻用語集に従ったが，本邦における嚥下障害診療で広く認知され一般的に使用されている用語は，一部それを用いた。例として「誤嚥性肺炎」は，嚥下障害において嚥下時の誤嚥だけでなく，非嚥下時の下気道内への唾液や食物残留物の流入によることもあること，および英語のaspiration pneumoniaに対応させることからそれを用いた。

1-10 患者・市民参画

本ガイドライン作成に際して，患者団体などの参画は行えなかった。また，推奨決定に際して，患者または介護者の希望は必ずしも考慮していない。しかし，現場での意思決定には，患者・家族・介護者の希望，価値観も考慮して行われるべきである。嚥下障害診療において，患者・家族・介護者の意見をどのように反映させていくのが適切か，次回のガイドライン改訂に向けて今後の検討課題としたい。

1-11 外部評価

改訂委員会委員より推薦を受けた外部評価委員（**表1-1**）により，2024年8月，外部評価委員は個別にコメントを提出し，改訂委員会は各コメントに対して診療ガイドラインの内容を変更する必要性を討議し，対応を決定した。

さらに，2024年8月5～26日に日耳鼻ホームページを通じて，パブリックコメントを募集し意見を求めた。また，日耳鼻学術委員会（委員会委員およびSR委員を除く）において評価を受けた。これらの意見に沿って，必要な修正を行った。

1-12 改訂予定

嚥下障害に対する検査や治療に関する研究は，国内外で活発に行われている。そのため本ガイドラインも4～6年ごとに改訂を行ってきた。今後も5年程度の間隔での改訂を予定しているが，診療ガイドラインに影響を与える新たな知見があれば，適宜学会誌や日耳鼻ホームページで追補版の公開等を行う予定である。

参考文献

1）福井次矢，吉田雅博，山口直人編．Minds診療ガイドライン作成の手引き2007．医学書院，2007．
2）Minds診療ガイドライン作成マニュアル編集委員会．Minds診療ガイドライン作成マニュアル2020 ver.3.0．公益財団法人日本医療機能評価機構．2021年3月．
https://minds.jcqhc.or.jp/docs/methods/cpg-development/minds-manual/pdf/all_manual_.pdf（2024.5.30閲覧）

第2章　総論

2-1 疫学

嚥下障害は小児から高齢者まであらゆる年齢層で見られるが，中でも高齢者においては頻度の多さと重篤さから，老年症候群の一つと考えられている[1,2]。高齢者においては，生理的な嚥下機能の低下に加えて，様々な基礎疾患が重なることで嚥下障害が重篤化する[1]。その結果，嚥下障害が栄養障害や脱水，誤嚥性肺炎をきたし，生命予後に影響する[1,2]。成人（18歳以上）の地域住民を対象にした疫学研究では，嚥下障害の頻度は2.3～16%とされる[1]。一般住民の高齢者を対象としたメタアナリシスでは，Baijensらが質問紙を用いたスクリーニングにより嚥下障害を認める頻度が11.4～33.7%[1]，Rechらが質問紙，Eating Assessment Tool（EAT-10）などの評価ツール，水嚥下テストなどにより20.4%（95% CI 16.6～24.7%）[3]であったと報告している。高齢者施設入所者を対象とした調査では，13～15%に嚥下障害が認められたとの報告がある[4,5]。また，システマティックレビューにより，病院入院中の患者では36.5%（29.9～43.6%）に，リハビリテーション施設の患者では42.5%（35.8～49.5%）に，介護施設入所者では50.2%（33.3～67.2%）と高頻度に嚥下障害が認められたとの報告がある[6]。このように，質問紙の内容やスクリーニング検査の精度，嚥下障害の基準が異なることは考慮する必要があるが，高齢者は高頻度に嚥下障害を有しているといえる。

代表的な基礎疾患における嚥下障害の頻度に関するメタアナリシスでは，Martinoらが成人の脳卒中例では，水嚥下テストによるスクリーニング検査にて37～45%，専門の医療機関での診察にて51～55%，嚥下内視鏡検査や嚥下造影検査にて64～78%と報告している[7]。そして，嚥下障害および誤嚥をきたす患者が，その後に肺炎に罹患するリスク比はそれぞれ3.17および11.56としている。また，Mengらも脳卒中後に36.3%（95% CI 33.3～39.3%）に嚥下障害が認められ，評価法別ではスクリーニング検査で39.3%，診察所見で33.2%，機器を用いた検査で60.7%であったと報告している[8]。

嚥下障害をきたしやすい神経疾患の代表であるパーキンソン病では，その頻度は16～87%と様々である[9]。報告者によって頻度が異なる理由として，評価方法が異なる点や，パーキンソン病の重症度（Hoehn-Yahr分類）が考慮されていない点が指摘されている。罹病期間や重症度分類別との関係では，罹病期間が長いほど，重症であるほど嚥下障害を呈する割合が高い[9]。一方で，発症2年以内の例でも20%に，Hoehn-Yahr Ⅰ度あるいはⅡ度の軽症例でも12%に誤嚥が認められたとの報告もあり[10]，本症では早期から嚥下障害に注意を払う必要性が指摘されている。

認知症による嚥下障害の頻度は13～57%とされる[11]。検討方法によって異なるが，水分嚥下にて35.6%，固形物にて15.1%，ピューレにて6.3%に誤嚥が認められたと報告されている[11,12]。ただし，認知症の内容により嚥下障害の特徴が異なる。アルツハイマー型認知症では，ベッドサイドでの診察にて52%に，嚥下造影検査にて29%に嚥下障害が認められ，認知症が進むほど嚥下障害も悪化するとされる[13]。嚥下機能では，液体の口腔からの送り込みの遅れや，咽頭期の嚥下反射の遅延が特徴的とされる。レビー小体型認知症は，アルツハイマー型認知症に比して咽頭期の障害が高度で，Londosらは96％で咽頭期の障害（嚥下運動の惹起遅延，咽頭残留，喉頭侵入あるいは誤嚥）が，54％で口腔期の障害（食塊移送や食塊形成の障害）が認められたと報告している[14]。また，Yamamotoらは嚥下造影検査により55％に不顕性誤嚥を認め，誤嚥があった症例は2年間の経過中に83％が誤嚥性肺炎をきたし，67％が経口摂取を継続できなくなったと報告している[15]。前頭側頭型認知症では，Langmoreらが，質問紙にて19％，ベッドサイドの診察にて57％で嚥下障害が認められた一方，嚥下内視鏡検査や嚥下造影検査では嚥下障害は認められなかったと報告している[16]。すなわち，本症では，摂食行動の異常が主体となり，咽頭期の機能は比較的保たれていることが特徴とされる。

参考文献

1) Baijens LW, Clave P, Cras P, et al. European Society for Swallowing Disorders - European Union Geriatric Medicine Society white paper：oropharyngeal dysphagia as a geriatric syndrome. Clin Interv Aging. 2016；11：1403-1428.
2) Ortega O, Martin A, Clave P. Diagnosis and management of oropharyngeal dysphagia among older persons, State of the Art. J Am Med Dir Assoc. 2017；18：576-582.
3) Rech RS, de Goulart BNG, Dos Santos KW, et al. Frequency and associated factors for swallowing impairment in community-dwelling older persons：a systematic review and meta-analysis. Aging Clin Exp Res. 2022；34：2945-2961.
4) Streicher M, Wirth R, Schindler K, et al. Dysphagia in nursing homes-Results from the NutritionDay Project. J Am Med Dir Assoc. 2018；19：141-147.e2.
5) Hägglund P, Gustafsson M, Lövheim H. Oropharyngeal dysphagia and associated factors among individuals living in nursing homes in northern Sweden in 2007 and 2013. BMC Geriatr. 2022；22：421.
6) Rivelsrud MC, Hartelius L, Bergström L, et al. Prevalence of oropharyngeal dysphagia in adults in different healthcare settings：A systematic review and meta-analyses. Dysphagia. 2023；38：76-121.
7) Martino R, Foley N, Bhogal S, et al. Dysphagia after stroke：incidence, diagnosis, and pulmonary complications. Stroke. 2005；36：2756-2763.
8) Meng PP, Zhang SC, Han C, et al. The occurrence rate of swallowing disorders after stroke patients in Asia：A PRISMA-compliant systematic review and meta-analysis. J Stroke Cerebrovasc Dis. 2020；29：105113.
9) Kalf JG, de Swart BJ, Bloem BR, et al. Prevalence of oropharyngeal dysphagia in Parkinson's disease：a meta-analysis. Parkinsonism Relat Disord. 2012；18：311-315.
10) Pflug C, Bihler M, Emich K, et al. Critical dysphagia is common in parkinson disease and occurs even in early stages：A prospective cohort study. Dysphagia. 2018；33：41-50.
11) Alagiakrishnan K, Bhanji RA, Kurian M. Evaluation and management of oropharyngeal dysphagia in different types of dementia：a systematic review. Arch Gerontol Geriatr. 2013；56：1-9.
12) Rosler A, Pfeil S, Lessmann H, et al. Dysphagia in dementia：Influence of dementia severity and food texture on the prevalence of aspiration and latency to swallow in hospitalized geriatric patients. J Am Med Dir Assoc. 2015；16：697-701.

13) Horner J, Alberts MJ, Dawson DV, et al. Swallowing in Alzheimer's disease. Alzheimer Dis Assoc Disord. 1994；8：177-189.
14) Londos E, Hanxsson O, Alm Hirsch I, et al. Dysphagia in Lewy body dementia - a clinical observational study of swallowing function by videofluoroscopic examination. BMC Neurol. 2013；13：140.
15) Yamamoto T, Kobayashi Y, Murata M. Risk of pneumonia onset and discontinuation of oral intake following videofluorography in patients with Lewy body disease. Parkinsonism Relat Disord. 2010；16：503-506.
16) Langmore SE, Olney RK, Lomen-Hoerth C, et al. Dysphagia in patients with frontotemporal lobar dementia. Arch Neurol. 2007；64：58-62.

2-2 問診

嚥下障害の診療において，問診は患者の状態を知り，原因を推察するだけでなく，行うべき検査や治療の方針決定にかかわる重要な行為である。病歴，既往症や基礎疾患の有無，嚥下障害の状態，経口摂取の状況を聴取する。

1 病歴聴取

病歴の聴取では，具体的な症状（固形物がつかえるのか，液体でむせるのか，痛みはあるか），発症時の状況，罹病期間，そして進行の有無を確認する。また，脳血管障害，頭頸部手術や放射線治療などの既往の有無，精神疾患，神経筋疾患，呼吸器疾患などの基礎疾患の有無を確認する。体重減少の有無や肺炎発症，脱水症の既往も確認する。

嚥下機能を悪化させる薬剤もあるため，服薬内容，服薬期間を確認する（**表2-1**）。遅発性ジスキネジアは，服薬中止後も症状が続くことがあるため，過去に内服していた薬剤を確認することが望ましい。

2 嚥下障害の状態

症状から嚥下障害の原因を推察する。一般的に，解剖学的（構造的）に異常があると，固形物の嚥下で詰まり感を訴えることが多い。また，神経系の異常では，液体の嚥下でしばしばむせるのに対し，筋肉・神経筋接合部の障害では，固形物で嚥下困難感を訴える。悪性病変では，最初は固形物の飲み込みが困難で，やがて固形物と液体の両方で嚥下困難感が現れる[1]。

嚥下障害の存在が疑われる症状を具体的に聞き出すようにする（**表2-2**）。系統立てて評価するために質問紙も有用である（**表2-3**）。

表2-1 嚥下障害の原因となりうる薬剤

原因	薬物分類
錐体外路徴候	抗精神病薬，消化管運動改善薬など
過鎮静	抗精神病薬，抗不安薬，抗ヒスタミン薬など
口腔乾燥	抗コリン薬，利尿剤，オピオイド，抗精神病薬，抗うつ薬など
食道粘膜の障害	抗菌薬，非ステロイド性抗炎症薬，副腎皮質ステロイドなど
下部食道括約筋圧の低下	抗コリン薬，気管支拡張薬，カルシウム拮抗薬，硝酸塩類など

表2-2 嚥下障害の症状

①嚥下時の症状
嚥下困難，嚥下時のむせ，鼻咽腔逆流，嚥下時痛など
②嚥下後の症状
食物残留感，湿声，喀痰増加など
③その他の症状
持続的な喀痰や発熱などの呼吸器感染症状，食物摂取量の減少，食事時間の延長，体重減少など

表2-3 主な嚥下機能質問紙

質問紙	略語
①Eating Assessment Tool[2]	EAT-10
②Swallowing Disturbance Questionnaire[3]	SDQ
③Deglutition Handicap Index[4]	DHI
④Quality of life in swallowing disorders[5-7]	SWAL-QOL SWAL-CARE
⑤摂食・嚥下障害スクリーニングのための質問紙[8]	聖隷式嚥下質問紙

3 経口摂取の状況

日常の食事で，食べやすい食物，食べにくい食物を聞き取る。通常，嚥下障害がある患者は，均一な半流動物は嚥下しやすく，液体はむせやすい。また，乾燥した食物では食塊の送り込みが悪くなる。食事に時間がかかる，食事中に疲れる，などは嚥下障害の存在が疑われるだけでなく，呼吸不全や栄養失調などを引き起こす他の合併症を疑う。食事摂取量を確認し，十分量を食べられない患者には，経口摂取に対する意欲の有無を確認する。経口摂取の状況を評価する指標には，FOIS (Functional oral intake scale) がある (**表2-4**)[9]。

表2-4　FOIS (Functional Oral Intake Scale)

レベル1	経口摂取なし
レベル2	補助栄養に依存 少量の経口摂取を試みるのみ
レベル3	補助栄養に依存しているが，継続的に食品や飲料を経口摂取している。
レベル4	すべての栄養・水分を経口摂取。1種類の食形態のみ。
レベル5	すべての栄養・水分を経口摂取。複数の食形態。 ただし，特別な準備や代償法が必要。
レベル6	すべての栄養・水分を経口摂取。複数の食形態。 特別な準備は不要だが，特定の食べ物は食べられない。
レベル7	正常

参考文献9) より引用

参考文献

1) Al-Hussaini A, Latif EH, Singh V. 12-minute consultation：an evidence-based approach to the management of dysphagia. Clin Otolaryngol. 2013；38：237-243.
2) Belafsky PC, Mouadeb DA, Rees CJ, et al. Validity and reliability of the Eating Assessment Tool (EAT-10). Ann Otol Rhinol Laryngol. 2008；117：919-924.
3) Cohen JT, Manor Y. Swallowing disturbance questionnaire for detecting dysphagia. Laryngoscope. 2011；121：1383-1387.
4) Silbergleit AK, Schultz L, Jacobson BH, Beardsley T, Johnson AF. The Dysphagia handicap index：development and validation. Dysphagia. 2012；27：46-52.
5) McHorney CA, Bricker DE, Kramer AE, et al. The SWAL-QOL outcomes tool for oro-pharyngeal dysphagia in adults：I. Conceptual foundation and item development. Dysphagia. 2000；15：115-121.
6) McHorney CA, Bricker DE, Robbins J, et al. The SWAL-QOL outcomes tool for oro-pharyngeal dysphagia in adults：II. Item reduction and preliminary scaling. Dysphagia. 2000；15：122-133.
7) McHorney CA, Robbins J, Lomax K, et al. The SWAL-QOL and SWAL-CARE outcomes tool for oropharyngeal dysphagia in adults：III. Documentation of reliability and validity. Dysphagia. 2002；17：97-114.
8) 大熊るり，藤島一郎，小島千枝子，他．摂食・嚥下障害スクリーニングのための質問紙の開発．日本摂食嚥下リハ会誌．2002；6：3-8.
9) Crary MA, Mann GD, Groher ME. Initial psychometric assessment of a functional oral intake scale for dysphagia in stroke patients. Arch Phys Med Rehabil. 2005；86：1516-1520.

2-3 意識・高次脳機能・身体機能の評価

嚥下障害の発症には，さまざまな要因が複雑に関与する。精神機能や身体機能を評価することは，嚥下障害の原因が，口腔・咽頭・喉頭などの嚥下に関わる器官に限局された障害であるのか，基礎疾患があるのかを推察するのに有用である[1)]。

1 意識

安全で十分量の経口摂取には，食事に対する意欲があり，食物を適切に認識することが前提となる。脳血管障害や頭部外傷後などで脳に器質的な障害があると，嚥下は困難になる。外部からの刺激に無反応状態の昏睡や，ほとんど反応しない最小意識状態の患者は，99％に嚥下障害を合併する[2)]。意識レベルを示す尺度としては，Japan Coma Scale (JCS)[3)]やGrasgow Coma Scale (GCS)[4)]などがある。これらは急性期の意識水準の推移を評価することを目的として作られ，意識障害全体の特色を必ずしも把握，表現するものではない[5)]。

代謝性疾患，認知症，薬物による過鎮静状態などで，覚醒レベルが低下している場合も嚥下に影響する。覚醒レベルは，変動することがあるため，食事中の状態を確認する。

2 高次脳機能

1) 認知症

早期には全般性注意障害が現れ，食事に集中できないことがある。また，進行すると食事に興味を示さない，嚥下しようとしないなどの症状が現れることがある。前頭葉症状がある患者は，食事嗜好の変化，過食，異食症や固執・情動性の異常により食行動の障害が現れることがある。必要に応じて脳神経内科医や精神科医などに診察を求める。

認知機能の簡易検査法には，mini-mental state examination (MMSE) があり，見当識，記憶，注意と計算，言語命令，図形模写からなっている[6,7)]。

2) 失行

失行とは，運動麻痺や運動失調などがないにもかかわらず，後天的に獲得した動作が障害された状態である。食具の使用や摂食動作に障害が現れることがある。舌の可動域が保たれているにもかかわらず，咽頭への食物輸送ができないことを嚥下失行という[8)]。ただし，その責任病巣は不明で，定義が不明確とする意見もある[9)]。

3) 失認・半側空間無視

失認とは要素的感覚が保たれているのに，ある一つの感覚を介して対象物を認知することができない状態である。一方，半側空間無視は，視覚提示だけでなく触覚提示や聴覚提示でも起こる。多くは左側に存在するものを無視したり，注意を払わなかったりする現象である。食事では一側の食べ残しが見られることがある。

4) 精神症状

精神症状がある患者は，疾患に関連した摂食行為の異常（早食いや不適切なほど大量の食物を口腔に詰め込むなど）や窒息の頻度が高い[10)]。精神症状がある患者の嚥下障害は問診と検査から原因を特定し，精神科医と連携して治療を行う[11)]。

3 身体機能

身体機能では，姿勢や四肢の筋力，および移動能力を観察する。運動麻痺があれば脳血管障害や運動ニューロンの障害などを疑う。また，炎症性ミオパチー，筋ジストロフィー，重症筋無力症では，筋力低下が現れる。前傾姿勢や動作緩慢，小刻み歩行，姿勢反射障害などの錐体外路徴候があれば，多発性脳梗塞，パーキンソン病，パーキンソン症候群を疑う。頸部にも着目し，緊張がかからない姿勢を維持できるか，頸部後屈位になっていないかを観察する。これらの異常は円滑な嚥下運動の障害になる。

顔面麻痺は，中枢性顔面神経障害や末梢性顔面神経障害で現れ，口唇や頬の麻痺が口腔期に影響する。脳血管障害やウイルス感染が原因となることが多いため，他の脳神経も障害され，嚥下障害を伴うことがある。眼瞼下垂は重症筋無力症や筋強直性ジストロフィー，眼咽頭型筋ジストロフィー，眼咽頭遠位型ミオパチーでしばしば見られ，これらの疾患は嚥下障害を伴うことがある。

顔面や躯幹の感覚障害にも留意する必要がある。例えば延髄外側症候群では，片側咽喉頭麻痺とともに，同側顔面および対側躯幹・上下肢の温痛覚低下をきたす。

麻痺性構音障害は，脳血管障害や筋萎縮性側索硬化症によることが多く，舌運動の障害のため，咀嚼や食物輸送が障害される。失調性構音障害は，脊髄小脳変性症や多系統萎縮症などでみられ，口腔から咽頭への不用意な送り込みによるむせが現れることがあるが，嚥下障害の程度は軽度のことが多い。

呼吸機能の低下は，筋萎縮性側索硬化症，筋ジストロフィーなどでみられ，食事中の疲労の原因になる。また，呼気力の低下は誤嚥物の喀出困難の原因となり，誤嚥性肺炎の発症や嚥下障害の増悪につながる。随意的な咳嗽を指示することで，十分な喀出力があるかどうかを評価する。

参考文献

1）Abdel Jalil AA, Katzka DA, Castell DO. Approach to the patient with dysphagia. Am J Med. 2015；128：1138 e17-23.

2）Melotte E, Maudoux A, Delhalle S, et al. Swallowing in individuals with disorders of consciousness：A cohort study. Ann Phys Rehabil Med. 2021；64：101403.

3）太田富雄，和賀志朗，半田肇，他．意識障害の新しい分類法試案-数量的表現（III群3段階方式）の可能性.脳神経外科．1974；2：623-7.

4）Teasdale G, Jennett B：Assessment of coma and impaired con- sciousness. A practical scale. Lancet 1974；7872：81-4.

5）平山惠造．神経症候学　改訂第二版．東京，文光堂．2006.

6）Folstein MF, Folstein SE, McHugh PR. "Mini-Mental State"：A practical method for grading the cognitive state of patients for the clinician. Journal of Psychiatric Research. 1975；12：189-198.

7）森悦郎，三谷洋子，山鳥重．神経疾患患者における日本語版Mini-Mental Stateテストの有用性．神経心理学．1985；1：2-10.

8）Logemann JA. Evaluation and treatment of swallowing disorders. 2nd ed. Austin, Pro-Ed. 1988.

9）Daniels SK. Swallowing apraxia：a disorder of the Praxis system? Dysphagia. 2000；15：159-166.

10) Aldridge KJ, Taylor NF. Dysphagia is a common and serious problem for adults with mental illness：a systematic review. Dysphagia. 2012；27：124-137.
11) Kulkarni DP, Kamath VD, Stewart JT. Swallowing Disorders in Schizophrenia. Dysphagia. 2017；32：467-471.

2-4 口腔・咽頭・喉頭などの診察

口腔・咽頭・喉頭などの診察は，嚥下障害の原因や病態を知るうえで重要である。咽喉頭内視鏡も用いて詳細に観察する（**表2-5**）。下咽頭癌などの器質的疾患や筋萎縮性側索硬化症などの神経・筋疾患のなかには嚥下障害を初発症状とするものもあり，これら嚥下器官の形態異常，運動障害や異常運動の有無について，注意深く観察する。

気管切開を有する嚥下障害患者への対応も重要である。気管切開孔の位置や状態，気管カニューレの種類などを確認するとともに，気管切開に至った経緯やその後の経過を把握し，可能であれば手術記録を参照する。

表2-5　口腔・咽頭・喉頭などの診察におけるチェックポイント

顔　面	顔貌（仮面様，筋無力性など） 顔面の運動性（緊張，左右差，不随意運動など） 顔面の感覚
口　腔	開口，咬合，歯牙・歯肉の状態 口腔内の衛生状態，残渣，舌苔 舌運動（可動性，左右差，線維束性収縮，不随意運動など） 唾液分泌（口腔乾燥・唾液貯留）
中咽頭	咽頭の運動（鼻咽腔閉鎖，軟口蓋挙上，カーテン徴候など） 咽頭の感覚（左右差） 咽頭反射
喉頭・下咽頭	声帯運動（声門閉鎖など） 喉頭反射 梨状陥凹の唾液貯留の有無・程度・左右差
頸　部	嚥下時の喉頭運動 頸部の可動域 頸部筋群の緊張・筋力低下 気管切開（位置，状態，気管カニューレの種類など）

2-5 口腔機能およびその評価

摂食嚥下運動は口腔から始まり，ことに咀嚼時においては食物粉砕，唾液との混合による食塊形成は必須過程である。口腔内での食物処理に必要となるのは咀嚼筋，舌筋，舌骨筋，口蓋筋などの運動器のみならず，触圧覚，温度覚，味覚なども口腔内での円滑な食塊形成に必要である。口腔機能を評価することは，食塊形成後の円滑な嚥下反射誘発や食塊移送を評価する上でも重要である。

日本老年歯科医学会，日本老年医学会，フレイルサルコペニア学会は，「オーラルフレイルに関する3学会合同ステートメント」を2024年に発出した[1]。オーラルフレイルの概念は，口の機能の健常な状態（いわゆる「健口」）と「口の機能低下」との間にある状態であり，全身のフレイルやサルコペニア，低栄養を引き起こすと考えられ，悪化した場合，口の機能低下を経て口の機能の障害に至るとし，生活機能障害や死亡のリスクも高まるとされている。

口腔機能の評価では，口腔衛生，口腔乾燥，咬合力，舌圧，咀嚼能力，舌口唇運動機能，嚥下機能が重要である。日本老年歯科医学会により，各項目の評価方法の概略と「口腔機能低下症」の診断基準が示されている[2]。

①口腔衛生

1 滅菌綿棒により舌背を擦過し，細菌カウンタにて総微生物数を計測する。総微生物数が6.5 Log_{10} (CFU/mL) 以上（レベル4以上）を口腔衛生状態不良とする。

2 代替検査法：舌表面を9分割し，視診により舌苔付着程度をTongue Coating Index (TCI) により3段階にスコア評価する。その総TCIスコアが50％以上の場合，口腔衛生状態不良とする。

②口腔乾燥

1 舌背中央部における粘膜湿潤度を口腔水分計により測定する。測定値が27.0未満を口腔乾燥とする。

2 代替検査法：乾燥したガーゼを2分間一定の速度で噛み，ガーゼに吸収される唾液の重量を測定する（サクソンテスト）。2g/2分以下を口腔乾燥とする。

③咬合力

1 感圧シートと分析装置を用いて，咬頭嵌合位における3秒間クレンチング時の歯列全体の咬合力を計測する。全歯列で200N未満を咬合力低下とする。

2 代替検査法：咬合力に代わるものとして，残存歯数が20本未満の場合を咬合力低下とする。

④舌口唇運動機能

5秒間で/pa//ta//ka/を繰り返し発音させ，1秒あたりの音節の発音回数を計測する。1秒あたり6回未満を舌口唇運動機能低下とする。

⑤舌圧

1 JMS舌圧測定器を用いて最大舌圧を計測する。30kPa未満の場合を低舌圧とする。

2 代替検査法：舌圧トレーニング用具「ペコぱんだ®」の硬め（H，黄色）を押しつぶすことができない場合を低舌圧とする。

⑥咀嚼機能

1 2gのグミゼリーを20秒間自由咀嚼させた後，10mLの水で含嗽させて，グルコース濃度を測定する。グルコース濃度が100mg/dL未満を咀嚼機能低下とする。

2 代替検査法：グミゼリーを30回咀嚼した後の粉砕の程度を10段階でスコア評価し，スコア0～2を咀嚼機能低下とする。

⑦嚥下機能

1 嚥下スクリーニング質問紙EAT-10で合計点数が3点以上を嚥下機能低下とする。

2 代替検査法：自記式質問票「聖隷式嚥下質問紙」で15項目のうちA項目が1つ以上を嚥下機能低下とする。

これらの項目のうち咬合力，舌圧，咀嚼機能についてはそれぞれ定量的に評価することが可能で，摂食嚥下機能と関連している。なかでも舌圧検査は，嚥下の口腔期機能を反映することから有用性が高いが，診療報酬においては歯科のみ算定可能となっている。

参考文献

1）一般社団法人日本老年医学会，一般社団法人日本老年歯科医学会，一般社団法人日本サルコペニア・フレイル学会．オーラルフレイルに関する3学会合同ステートメント．老年歯学．2024；38：86-95.
2）水口俊介，津賀一弘，池邉一典，他．高齢期における口腔機能低下　―学会見解論文　2016年度版―．老年歯学．2016；31：81-99.

2-6 嚥下機能評価のための簡易検査

簡易検査は，嚥下障害や誤嚥のスクリーニングと経過観察を簡便に実施するうえで有用であるが，嚥下内視鏡検査が可能であれば必ずしも必要ではない。ベッドサイドなどで嚥下内視鏡検査を施行できない場合などでは，機能評価法としての意義がある。

1 水嚥下テスト

水を嚥下させて誤嚥の有無や喉頭運動を観察する方法である。90mLの水が入った容器から連続して嚥下させる方法や，3mL程度の少量の水で検査を行う方法があり，むせや咳払いと声の変化を観察する。少量での検査は，誤嚥の可能性が高いと判断した場合に実施する[1)]。

2 血中酸素飽和度モニター

実際の食事場面や，水・食物などを嚥下させた際の血中酸素飽和度の推移を，経皮的にモニターする。誤嚥があると血中酸素飽和度が低下することを応用したものである。酸素飽和度が2%以上低下した場合を誤嚥疑いと判断するが，本検査単独では誤嚥検出の精度は高くなく[2)]，水嚥下テストと組み合わせることで誤嚥検出の感度や特異度が高まる[3)]。

3 臨床観察

意識レベルや聴覚理解度，舌の筋力と協調運動などの臨床観察と検査食嚥下などを，点数化して評価するMann Assessment of Swallowing Ability（MASA）や，予備テストと半固形・液体・固形の食塊の嚥下をステップワイズ方式に進め点数化し，その点数に応じて食形態を提案するGugging Swallowing Screen（GUSS）などのスクリーニング方法は，嚥下障害に対する簡易検査として高いエビデンスが示されている[3)]。

GUSSの検査手順と推奨する食形態を**表2-6，2-7**に示す[4)]。

4 その他

嚥下時に咽頭部で生じる嚥下音を聴診して，嚥下障害の有無を評価する頸部聴診法は，非侵襲的な簡易検査であり，Frakkingら[5)]のシステマティックレビューでは，特に小児を対象とした場合の有用性が示されている。

参考文献

1）Brodsky MB, Suiter DM, González-Fernández M, et al. Screening Accuracy for Aspiration Using Bedside Water Swallow Tests：A Systematic Review and Meta-Analysis. Chest. 2016；150：148-163.

2）Britton D, Roeske A, Ennis SK, et al. Utility of Pulse Oximetry to Detect Aspiration：An Evidence-Based Systematic Review. Dysphagia. 2018；33：282-292.

3）Bours GJ, Speyer R, Lemmens J, et al. Bedside screening test vs. viveofluoroscopy or fiberoptic endoscopic evaluation of swallowing to detect dysphagia in patients with neurological disprders：systemic review. J Adv Nurs nursing. 2009；65：477-493.

4）唐帆健浩．摂食嚥下機能スクリーニングツールGugging swallowing screenの実際．嚥下医学．2020；9：161-165.

5）Frakking TT, Chang AB, David M, et al. Clinical feeding examination with cervical auscultation for detecting oropharyngeal aspiration：A systematic review of the evidence. Clin Otolaryngol. 2019；44：927-934.

表2-6　Gugging swallowing screen (GUSS)

1. 予備検査/間接嚥下テスト

	Yes	No
覚醒状態：15分以上	1□	0□
咳 and/or 咳払い	1□	0□
唾液嚥下：成功	1□	0□
：流涎	0□	1□
：声の変化	0□	1□
		合計　　　/5
		1−4＝精査 5＝直接嚥下テスト

2. 直接嚥下テスト

	1→	2→	3→
	半固形	液体	固形
嚥下運動 ・嚥下不能 ・嚥下遅延（2秒以上，固体は10秒以上） ・嚥下成功	0□ 1□ 2□	0□ 1□ 2□	0□ 1□ 2□
むせ （嚥下前，嚥下中，嚥下後3分以内） ・Yes ・No	0□ 1□	0□ 1□	0□ 1□
流涎 ・Yes ・No	0□ 1□	0□ 1□	0□ 1□
声の変化 （嚥下前後の声の観察，オーと発声） ・Yes ・No	0□ 1□	0□ 1□	0□ 1□
	計　　　/5	計　　　/5	計　　　/5
	1−4＝精査 5＝液体へ	1−4＝精査 5＝固体へ	1−4＝精査 5＝正常

合計：(間接嚥下テストと直接嚥下テストの合計点)＿＿＿＿/(20)

参考文献4）より引用

表2-7　GUSS－評価表

	結果	嚥下障害度	推奨する食形態
20	半固形/液体と固形で成功	嚥下障害なし あるいは軽度嚥下障害 誤嚥のリスクは最小限	・常食 ・とろみなしの液体（初回は言語聴覚士か熟練看護師（認定看護師）の観察下）
15-19	半固形と液体で成功 固体で不成功	軽度嚥下障害 誤嚥のリスクは低い	・嚥下調整食（ペースト食や軟食） ・液体はゆっくり（ひとすすりずつ） ・嚥下内視鏡検査や嚥下造影検査を行う ・言語聴覚士へ相談
10-14	半固形で成功 液体と固体で不成功	中等度の嚥下障害 誤嚥のリスクあり	・ベビーフード状の半固形，経管栄養の併用 ・液体はすべてとろみ添加 ・液体の内服薬は中止 ・嚥下内視鏡検査や嚥下造影検査を行う ・嚥下専門家へ相談 経鼻経管や胃瘻での補助栄養
0-9	予備テストで不成功 あるいは半固形で不成功	高度嚥下障害 誤嚥のリスクは高い	・経口摂取禁止 ・嚥下内視鏡検査や嚥下造影検査を行う ・嚥下専門家へ相談 経鼻経管や胃瘻での補助栄養

参考文献4）より引用

2-7 嚥下内視鏡検査

嚥下内視鏡検査は，咽喉頭内視鏡（ファイバースコープまたは電子内視鏡）を用いて実施する嚥下機能検査である。本検査は，簡便で侵襲が少なく，さらにベッドサイドや訪問診療でも実施できる利点がある。

1 検査目的

①咽頭・喉頭の器質的・機能的異常の有無を観察する。

②検査食を嚥下した際に観察される，早期咽頭流入，嚥下反射惹起のタイミング，咽頭残留，喉頭侵入・誤嚥などを指標に嚥下機能を評価する。

③気道防御反射の状況を確認する（咳嗽反射や声門閉鎖反射）。

2 検査方法

1）必要機器

必要機器は喉頭内視鏡検査に準ずる。必要器材を携行すればベッドサイドや訪問診療でも実施できる。また，検査所見を録画・再生することで詳細な所見の把握や見直しにも役立つ。吸引チャンネルを有する処置用の内視鏡を用いれば，下咽頭に残留した唾液や検査食の吸引が可能となり，検査の安全性が高まる。

2) 検査食

検査食には，通常，着色水を用いる。1回量は3mL程度を目安とし，誤嚥の危険性が高い場合は1mLから開始する。また，嚥下訓練の開始時に訓練食として用いられることの多いゼリーやプリンも予め準備しておくとよい。経口摂取中の食物や今後試してみたい食物を用いることもある。

3) 検査の説明と同意

嚥下内視鏡検査の目的，方法，誤嚥の可能性などを説明し，患者や家族の同意を得て実施する。検査の危険性は通常の喉頭内視鏡検査と同等であるが，誤嚥に備え吸引の準備をしておく。

4) 検査手順

通常の喉頭内視鏡検査に準じる。内視鏡を挿入する際の麻酔は特に必要としないが，鼻腔粘膜を軽度表面麻酔してもよい。この場合，感覚鈍麻による嚥下運動への影響を考慮し，咽頭に麻酔液が流入しないように注意する。通常は座位で検査を行うが，ベッド上で実施する際には，仰臥位のままでは軟口蓋や舌根が下垂して所見をとらえにくくなるため，リクライニング位など上体を起こして検査することが望ましい。

鼻咽腔，中咽頭，下咽頭，喉頭の順に観察する。嚥下を行わない状態での観察と，空嚥下や検査食を嚥下させた際の観察を行う。正常の嚥下時には，咽頭収縮により内視鏡の視野が一時的に遮られて視野全体が白くなり，咽頭・喉頭の観察が不能となる。この状態をホワイトアウトと呼ぶ。

3 観察項目

1) 検査食を用いない状態での観察

(1) 器質的異常の有無

咽頭・喉頭での通過障害の原因となる形態異常や腫瘍の有無に注意する。頸部の左右への回旋・息こらえを指示すると下咽頭が観察しやすくなる。

(2) 鼻咽腔閉鎖

空嚥下や発声（例：か・か・か，がっこう，など）を指示し，鼻咽腔の閉鎖状況を確認する。軟口蓋麻痺があると，麻痺側の軟口蓋と咽頭後壁に間隙が観察される。

(3) 咽頭・喉頭の運動

咽頭麻痺や声帯麻痺の有無，ミオクローヌスなどの不随意運動の有無を観察する。咽頭麻痺があると空嚥下時の咽頭収縮が不良となり，麻痺側の梨状陥凹の唾液貯留が多くなる。声帯麻痺や萎縮がある場合には発声時の声門閉鎖不全の有無についても観察する。

(4) 唾液貯留や食物残留

喉頭蓋谷や梨状陥凹の唾液貯留や食物残留の有無や程度を観察する。これらは咽喉頭の運動機能の障害に関連し，嚥下障害の重症度や誤嚥の危険性の指標となる。喉頭腔や気管内に唾液や食物を認める場合は，感覚機能の低下に関連し，残留感の有無や咳によって喀出できるかなどを観察する。唾液貯留の左右差の観察も重要で，一側咽頭麻痺や器質的病変があると，患側の唾液貯留が多くなる。なお，唾液貯留が多い場合には，検査食を嚥下させる前に唾液を吸引しておくことが望ましい。

(5) 咽頭・喉頭の感覚

内視鏡の先端を喉頭蓋喉頭面や披裂部に軽く接触させ，咳嗽反射や声門閉鎖反射が生じるかどうかを観察する。刺激を与える方法には，送気や注水などの方法もある。粘膜に刺激を与える検査では，粘膜損傷や喉頭痙攣を誘発する危険性に留意する。

2) 着色水を用いた嚥下状態の観察

舌根から下咽頭全体を観察できる位置に内視鏡の先端を固定し，実際の嚥下状態を観察する。

(1) 早期咽頭流入

着色水を口腔内に保持するように指示した状態で，咽頭への流入の有無を観察する。嚥下を指示する前に着色水が咽頭に流入する場合を「早期咽頭流入」と呼び，口腔の食塊保持能力の低下が疑われる。

(2) 嚥下反射惹起のタイミング

口腔内に保持した着色水を嚥下するように指示し，嚥下反射の惹起のタイミングを観察する。正常であれば，着色水が咽頭に流入するとほぼ同時に嚥下反射が生じ，着色水の流入をほとんど観察することなくホワイトアウトになる。着色水が喉頭蓋谷から梨状陥凹へ流入するのが観察される場合は，「嚥下反射の惹起遅延」と判断する。

(3) 咽頭残留

嚥下運動終了後に，喉頭蓋谷や梨状陥凹に着色水の残留が認められる場合を「咽頭残留」とし，その部位や程度を観察する。咽頭残留が観察された場合は，残留感の自覚があるかどうか，数回の空嚥下によってどの程度処理されるかを確認する。

(4) 喉頭侵入・誤嚥

喉頭内への着色水の流入の有無を観察する。着色水流入が声門上までにとどまる場合を「喉頭侵入」，声門を越えて気管内に流入する場合を「誤嚥」と判定する。しかし，喉頭侵入と誤嚥とを厳密に区別することは難しい。

嚥下反射の惹起が遅延している場合には，ホワイトアウト前に喉頭侵入や誤嚥が観察されることがある。嚥下運動終了後には，内視鏡を喉頭に近づけて声門から気管内を観察し，喉頭侵入や誤嚥の有無を観察する。嚥下中や嚥下後に咳嗽が生じる場合は，喉頭侵入や誤嚥が疑われる。一方，気道の感覚が低下している場合は，誤嚥しても咳嗽が生じないことがある。喉頭侵入や誤嚥が観察された場合は，随意的に喀出できるかどうかを確認する。

3) 咀嚼を伴う検査食を用いた観察

嚥下内視鏡検査では，必要に応じて実際の食物などを検査食に用いて咀嚼を伴う嚥下状態を観察する。咀嚼を伴う嚥下の場合，正常でも食物の一部が喉頭蓋谷から梨状陥凹に流入するのが観察される。このため，早期咽頭流入の有無や嚥下反射惹起のタイミングを判断する際には，留意する必要がある。咀嚼を伴う検査食を用いた嚥下内視鏡検査では，披裂喉頭蓋ひだを越えて喉頭前庭に食塊が流入する場合を「嚥下反射の惹起遅延」と判断する。

4 嚥下状態の評価

早期咽頭流入，嚥下反射の惹起遅延，咽頭残留，喉頭侵入・誤嚥などが観察された場合には嚥下機能の異常が示唆される。兵頭ら[1)]は，①喉頭蓋谷や梨状陥凹の唾液貯留の程度，②咳嗽反射・声門閉鎖反射の惹起性，③嚥下反射の惹起性，④着色水嚥下後の咽頭クリアランスの4項目についてそれぞれ4段階で点数化するスコア評価法を報告している。この評価法は，簡便で客観性があり，情報の共有や経口摂取の可否の判断，および障害の経時的な変化の比較に有用である（**表2-8，2-9**）。

表2-8 嚥下内視鏡所見のスコア評価基準

①喉頭蓋谷や梨状陥凹の唾液貯留
0：唾液貯留がない
1：軽度唾液貯留あり
2：中等度の唾液貯留があるが，喉頭腔への流入はない
3：唾液貯留が高度で，吸気時に喉頭腔へ流入する
②声門閉鎖反射や咳嗽反射の惹起性
0：喉頭蓋や披裂部に少し触れるだけで容易に反射が惹起される
1：反射は惹起されるが弱い
2：反射が惹起されないことがある
3：反射の惹起が極めて不良
③嚥下反射の惹起性
0：着色水の咽頭流入がわずかに観察できるのみ
1：着色水が喉頭蓋谷に達するのが観察できる
2：着色水が梨状陥凹に達するのが観察できる
3：着色水が梨状陥凹に達してもしばらくは嚥下反射が起きない
④着色水嚥下による咽頭クリアランス
0：嚥下後に着色水残留なし
1：着色水残留が軽度あるが，2～3回の空嚥下でwash outされる
2：着色水残留があり，複数回嚥下を行ってもwash outされない
3：着色水残留が高度で，喉頭腔に流入する

参考文献1）より引用，一部改変

表2-9　嚥下内視鏡所見のスコア評価シート

評価項目	スコア 良好←　→不良
梨状陥凹などの唾液貯留	0 ・ 1 ・ 2 ・ 3
咳嗽反射・声門閉鎖反射の惹起性	0 ・ 1 ・ 2 ・ 3
嚥下反射の惹起性	0 ・ 1 ・ 2 ・ 3
咽頭クリアランス	0 ・ 1 ・ 2 ・ 3
誤嚥	なし ・ 軽度 ・ 高度
随伴所見	鼻咽腔閉鎖不全・早期咽頭流入 声帯麻痺 ・(　　)

参考文献1）より引用，一部改変

参考文献

1）兵頭政光，西窪加緒里，弘瀬かほり．嚥下内視鏡検査におけるスコア評価基準（試案）の作製とその臨床的意義．日耳鼻．2011；113：670-678.

2-8 嚥下造影検査

嚥下造影検査は，造影剤または造影剤を含む食物を嚥下させて，造影剤の動きや嚥下関連器官の状態と運動をX線透視下に観察する嚥下機能検査である。嚥下の口腔期，咽頭期，食道期のすべてについて，嚥下障害の病態を詳細に評価することができる。特に，誤嚥の程度や，食道入口部開大の状況など，嚥下内視鏡では観察できない項目を評価することができる。

1 検査の目的と適応

1）目的

①嚥下障害の原因と病態を明らかにする。具体的には口腔・咽頭・食道などの器質的病変の有無の判定，および機能的異常について評価する。

②嚥下障害に対する治療効果の判定，および経口摂取の可否・食物形態の選択についての判断を行う。

2）適応

嚥下造影検査はX線透視装置を用いて行い，患者や治療者への負担を要することから，本書に前述している水嚥下テスト等の簡易検査や嚥下内視鏡検査の結果に基づいて嚥下造影検査の適応を判断する。以下の場合に嚥下造影検査が適応となる。

①嚥下の準備期や口腔期の障害が疑われる場合

準備期における食塊形成，口腔期における食塊の咽頭への送り込みの評価に有用である。

②咽頭期の喉頭挙上が不良な場合や咽頭残留が多い場合

咽頭期における喉頭挙上のタイミングや舌骨の位置の評価，咽頭の収縮，ならびに食道入口部の開大と嚥下後の咽頭残留を把握することに有用である。

③誤嚥（顕性，不顕性）が疑われる場合，誤嚥性肺炎を反復する場合

誤嚥の状況を確実に観察し得るとともに，誤嚥時の咳反射の有無を評価できる。

④摂食嚥下訓練の手技の選択や効果の評価を行う場合

嚥下時の姿勢や粘度や形状の異なる検査食を用い，訓練手技の選択や，訓練前後の嚥下機能の評価を行うことに有用である。

⑤食道期の障害が疑われる場合

咽頭期までの異常は少ないが持続性の嚥下困難や誤嚥性肺炎を生じている際に行う。食道の器質的障害や運動障害の検出に有用である。

⑥嚥下障害の手術治療を検討する場合

準備期から食道期まで総合的に摂食嚥下障害の病態と重症度を評価するために有用である。また，嚥下物の通過や誤嚥の状況を記録した動画は，患者や家族への手術説明の際にも役立つ。

総論

2 検査方法

1）必要機器

検査にはX線透視装置および透視所見の録画・撮影装置が必要である。口腔期や食道期は造影剤の移動速度が遅く，透視所見を肉眼で観察してもその概要は把握できる。しかし，咽頭期は短時間の複雑な運動により成り立っており，肉眼的に咽頭期運動を詳細に観察することは困難で，透視所見を録画してスロー再生やコマ送り再生を行って初めて嚥下障害の詳細な病態把握が可能となる。録画した動画を保存しておくことで，嚥下機能の経時的な比較を行うこともできる。なお，検査には誤嚥を伴う危険性があるため，咽頭残留物や誤嚥物を吸引するための吸引設備の準備が必要である。

2）造影剤

通常は，消化管造影検査用の硫酸バリウムを用いる。咽頭の嚥下動態あるいは咽頭や食道の粘膜レリーフ像を観察するうえでは，造影剤がある程度粘稠であるほうがよい。高度な誤嚥が疑われる例では，肺障害を防ぐうえで非イオン性低浸透圧のヨード造影剤を用いることが望ましい[注]。食物形態のステップアップや嚥下訓練の効果を観察する際には，造影剤を混入した実際の食物を用いてもよい。1回嚥下量は3～5mL程度を標準量とするが，嚥下障害の程度に応じて適宜増減する。

注　ただし，2024年9月現在，嚥下造影検査に対する保険適用は認められていない。

3) 検査の説明と同意

検査に際しては，検査の目的や誤嚥の危険性などを患者・家族に説明し，同意を得ておく。

4) 検査手順

立位ないし座位で検査を実施する。患者の姿勢維持や嚥下障害の状況により，リクライニング車椅子を用いる。側面と正面の2方向での透視検査が基本で，それぞれについて透視所見のビデオ録画と写真撮影を行う。口腔・咽頭の観察と食道の観察は分けて行うことが望ましい。食道の器質的病変の評価には斜位での観察が適しており，必要に応じて追加する。

3 観察のポイント

嚥下造影検査所見の評価項目は多岐にわたるが，以下に代表的な観察項目を挙げる。

1) 口腔期

①造影剤の口腔内保持

②造影剤の口腔から咽頭への送り込み

③口蓋と舌の接触の状況

2) 咽頭期

①軟口蓋運動，鼻腔内逆流の有無

②喉頭蓋谷や梨状陥凹の造影剤残留

③誤嚥の有無と程度，および造影剤の喀出の可否

④喉頭挙上のタイミングと挙上度

⑤喉頭閉鎖の状態

⑥食道入口部の開大

⑦舌根と咽頭後壁の接触の状況

3) 食道期

①造影剤の通過状態および蠕動運動

②造影剤の逆流の有無

③食道およびその周囲の器質的疾患の有無

誤嚥は，嚥下運動とのタイミングにより嚥下前誤嚥，嚥下中誤嚥，嚥下後誤嚥に分けられる。また，喉頭の挙上や下降の時期との関係から喉頭挙上期型誤嚥，喉頭下降期型誤嚥，混合期型誤嚥に分けることもある。これらの分類は治療方針を決めるうえで重要である。

4 検査の問題点および留意点

嚥下造影検査の問題点として，X線透視装置が必要でベッドサイドでは行えないこと，嚥下障害が高度の患者では造影剤の誤嚥の危険性を伴うこと，検査に被曝が伴うことなどが挙

げられる。本検査は，嚥下障害の診断にとって極めて重要な検査であるが，これらの問題点も承知したうえで適応を判断して実施する。

2-9 嚥下圧検査（マノメトリー検査）

総論

高解像度マノメトリー（high resolution manometry：HRM）は，嚥下時に生じる咽頭収縮力や食道入口部の弛緩状態を，圧力の変化として定量的に評価できる点で，嚥下障害の病態把握に有用である[1)]。

1 検査目的

HRMでは，主に，嚥下の咽頭期に生じる①軟口蓋部・中下咽頭部・上部食道括約筋部（upper esophageal sphincter：UES）の嚥下時最大内圧，②UESの弛緩状態（静止時圧，弛緩時間など）について定量的評価が可能となる。

2 検査方法

1）必要機器

近年，1cmごとに全周性の36個の圧センサーを有する高解像度マノメトリー（HRM）が開発され，1回の嚥下で嚥下圧動態を評価できるようになった[2-5)]。圧センサーの一例を示す（**図2-1a**）。

2）検査の説明と同意

検査に際しては，検査の目的や誤嚥の危険性などを患者・家族に説明し，同意を得て行う。検査時には少量の唾液や水を嚥下させるが，誤嚥しても窒息や肺炎の危険は少ない。念のため吸引の準備をしておく。

3）検査手順

HRMを用いた嚥下圧検査は，圧センサーが搭載されたカテーテルを，被験者の前鼻孔から挿入し，被検者が嚥下した時に生じる各部位の咽頭内圧を計測する（**図2-1b**）。

(1) カテーテルの挿入

被検者の前鼻孔からカテーテルを鼻腔内へ挿入し，嚥下のタイミングに合わせて，検者はさらにカテーテルを送り込み，咽頭から食道へと挿入する。

(2) 嚥下圧の測定

カテーテルの存在に慣れてきたら，被検者に「パパパ」と発音をするように促す。その際の圧トポグラフィー上の位置から，軟口蓋部の位置を同定することができる[4,5)]。その後に，水（3～5cc）などを嚥下するように被検者に指示し，嚥下圧を計測する。

(3) 解析方法

a. 圧トポグラフィー

嚥下圧検査で得られた嚥下圧データは，嚥下圧が色で示される圧トポグラフィーで表される(**図2-2**)。圧トポグラフィーは縦軸が前鼻孔からの距離，横軸が時間，色の変化で圧力が表現される。圧トポグラフィー上に任意の2点を指定すれば，その2点を対角線とする矩形に囲まれる領域の最大内圧が自動的に計測される。また，圧トポグラフィー上には任意の圧の等圧輪郭線も描出することができる(**図2-2**)。

b. 各部位の最大内圧とUES部の平圧化持続時間の解析方法

圧トポグラフィーの中央にみられる高圧帯がUES部の静止時圧である(**図2-2**)。嚥下した際にみられる高圧部が嚥下圧である(**図2-2**)。前述した「パ」の発音時の鼻咽腔閉鎖の圧から軟口蓋部を同定し，嚥下圧を軟口蓋部・中下咽頭部・UESに区別し各部位の最大内圧を計測する(**図2-2**)。UESの弛緩時間については，圧トポグラフィーに20mmHgの等圧輪郭線を描出し，食塊通過前後にみられるUES部の輪郭間が最も長い時間を，UES部弛緩時間と定義し解析する。

3 嚥下圧検査の実際の活用法

嚥下障害の病態把握が必要な症例全般に有効である。特に咽頭期嚥下障害に対する，リハビリテーション方法(頸部屈曲位など)の選択，嚥下機能改善手術や誤嚥防止手術の術式選択に関して，治療方針を決定する際の理論的根拠としての定量評価に役立つ。

また各種治療効果の定量的評価，神経筋疾患などの進行性疾患における嚥下機能の経時的変化を観察することも可能である。たとえば，延髄外側症候群などによる輪状咽頭筋弛緩不全の程度を把握し，輪状咽頭筋切断術の適応を決定することや，手術後に，術後効果としての嚥下圧の低下を定量的に確認することができる。

参考文献

1) 湯本英二．嚥下圧検査法．日気食会報．1999；50：313-314.
2) Hoffman MR, Ciucci MR, Mielens JD, et al. Pharyngeal swallow adaptations to bolus volume measured with high-resolutionmanometry. Laryngoscope. 2010；120：2367-2373.
3) McCulloch TM, Hoffman MR, Ciucci MR, et al. High-resolution manometry of pharyngeal swallow pressure events associated with head turn and chin tuck. Ann Otol Rhinol Laryngol. 2010；119：369-376.
4) Takasaki K, Umeki H, Enatsu K, et al. Investigation of pharyngeal swallowing function using high-resolution manometry. Laryngoscope. 2008；118：1729-1732.
5) Matsubara K, Kumai Y, Samejima Y, et al. Swallowing pressure and pressure profiles in young healthy adults. Laryngoscope. 2014；124：711-717.

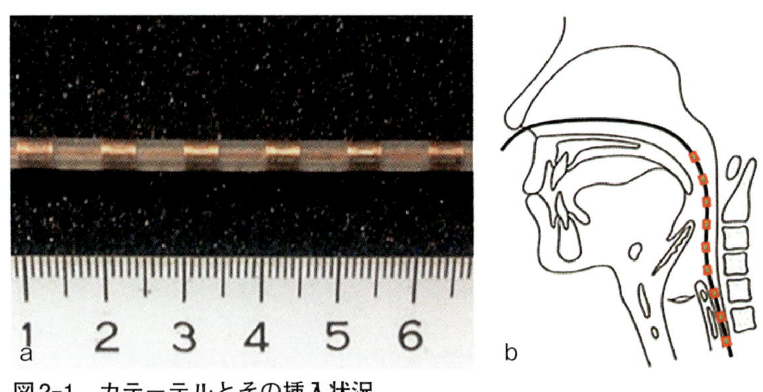

図2-1 カテーテルとその挿入状況

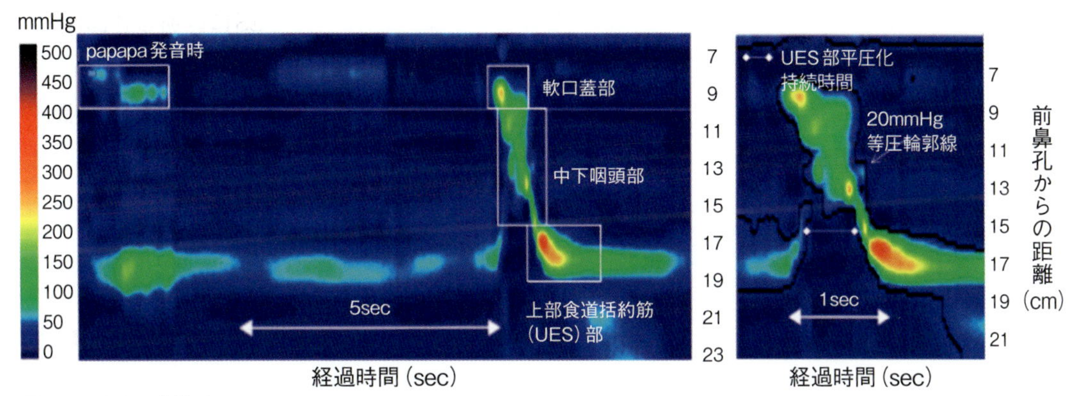

図2-2 圧トポグラフィー

総論

2-10 対応基準

評価・検査結果，問診等から収集した情報を総合的に判断し，以下のように対応する。また，適切な間隔で摂食状況や体重の変化，発熱の有無などの状況や嚥下機能の再評価を行い，対応を見直すことも必要である。

1 経過観察を行う

高次脳機能・身体機能が良好で，簡易検査で問題ないか，嚥下内視鏡検査や嚥下造影検査において異常を認めない場合。

2 嚥下指導を行う

嚥下内視鏡検査や嚥下造影検査で何らかの異常を認めるが，高次脳機能・身体機能は嚥下指導を行ううえで十分に維持されており，担当医自らが嚥下指導を行えると判断した場合。

嚥下指導には保存的治療や食事形態の調整などが含まれる。適切な介入によって栄養摂取状態の維持や誤嚥性肺炎の予防に努める。

必要に応じて関連職種，関連各科との連携を検討するが，それが不十分な場合，あるいは経過中に体重減少や肺炎発症などが見られる場合，より専門的な医療機関に相談/紹介する。

3 専門的な医療機関に紹介する

①嚥下内視鏡検査などで何らかの異常を認め，より詳細な嚥下機能評価が必要と判断した場合。

②より専門的なリハビリテーションや外科的治療の検討が必要と判断した場合。

③経過観察あるいは嚥下指導を継続するなかで，体重減少など栄養摂取が不良である場合や，誤嚥性肺炎がみられるなど，より専門的な対応や評価が必要と判断した場合。

④口腔，咽頭，頸部食道等に腫瘍性病変を否定できない場合。

紹介先に対しては，患者や家族が何を希望し，どのようなこと（栄養管理目的や，病態の評価，原因疾患の検索など）を目的としての紹介であるかを記載し，現在の摂食・嚥下状況，介護背景についての情報も提供する。また，嚥下障害に関連する基礎疾患の治療歴についても，関連各科と連携が可能な場合には関連科からの情報提供も進める。

なお，紹介先の医療機関においてどのような検査や対応がなされるかを患者に説明しておくことも有益である。関連各科との連携により，原因疾患の精査として，頭頸部のCT，MRI，超音波検査や上部消化管内視鏡検査，高次脳機能の評価，筋電図検査などが行われることもある。

4 積極的な治療の適応外として適切に対応する

①全身状態や意識レベルが不良，もしくは重篤な合併症のために嚥下障害に対する検査や治療が行えないと判断した場合。

②患者および家族に経口摂取への希望や意欲がない，十分に説明しても誤嚥に対するリスクの受け入れができない場合。

③ただし，経口摂取へむけた対応が困難な状況においても，誤嚥のリスク評価等が全身管理とその方針決定にしばしば寄与する。適切な状況把握と依頼元との情報共有に努める。

④全身状態/意識状態の変化･改善により介入可能となることも多いため，関連各科・主科との情報共有を行い，必要に応じて随時情報確認と再評価を実施し，対応方針の見直しを行う。

⑤必要に応じて倫理カンファランスや多職種での検討を行う。

2-11 経過観察を行う場合の注意点

嚥下障害は常に誤嚥による気道感染や窒息の危険性を伴う。症状が経過とともに変動することや，嚥下障害の原因として悪性腫瘍をはじめとする器質的疾患や，進行性の神経筋疾患が潜在していることもある。このことを患者および家族に十分に説明したうえで，慎重に経過観察を行う。経過観察時には，体重の変化，発熱，誤嚥，喀痰量の増加，食事摂取量・食事時間の変化や嚥下時の痛み，神経症候の出現などに注意する。

また，嚥下障害は症状が多様で自覚的要素が多いことから，医師と患者・家族との間で重症度の評価にはしばしば隔たりがある。したがって，治療の要否にかかわらず，患者・家族と十分に意思疎通を図ることが必要である。医師と患者の間で信頼関係を築くことは，よりよい治療効果を得るうえでも重要である。

2-12 嚥下指導を行う場合の注意点

より専門的な治療や詳細な検査を行うことなく，外来において嚥下指導によって対応できるのは以下の場合である。

①嚥下障害患者に対して一連の評価および検査を行った結果，高次脳機能・身体機能が嚥下指導を行ううえで十分に維持されていると判断でき，嚥下障害の病態が既往症や併存疾患あるいは加齢として矛盾がない場合。

②嚥下障害が軽微であり，食形態の工夫や嚥下方法の指導などによって安全な経口摂取が可能と判断でき，かつ担当医師が具体的な指導・訓練にも責任をもつことができる場合。

したがって，実際に対象となる患者は，医師の知識や技量のみならず，関連する医療スタッフや介護者・家族などの環境要因によっても異なる。

2-13 保存的治療

保存的治療は，嚥下内視鏡検査などで異常を認めた症例に，嚥下状態の改善もしくは維持を目的として行う。下咽頭に唾液残留を認める場合には，唾液の喉頭流入や唾液誤嚥を生じている可能性がある。咽頭駆出力や食道入口部開大，喉頭感覚の障害の有無を精査すると同時に，喀出を促したり，呼吸訓練や理学的療法を行うことも重要で，他の機能障害を合併している場合には全身的なリハビリテーションも必要となる。

また，嚥下障害患者は低栄養状態にあることが多く，栄養状態の改善を図ることも重要であり，一時的な経管栄養も視野に入れて栄養管理にあたる必要がある。この際，摂取熱量のみでなく，微量元素やアミノ酸の補充も考慮すべきである。

唾液分泌低下など，口腔洗浄能の低下と口腔不衛生は誤嚥性肺炎のリスクを高めるため，口腔ケアは肺炎予防の観点から重要である。

頭頸部癌に対する化学放射線治療や手術後には，嚥下器官の形態変化や機能障害，唾液分泌低下など，さまざまな要因による嚥下障害をきたす。それぞれの要因に対応した保存的治療法の選択が必要となる。

高齢者は様々な基礎疾患に対して複数の内服薬を処方されていることが少なくないため，嚥下機能に悪影響を及ぼす可能性のある薬剤を服用していないか注意する必要がある。睡眠薬・鎮静薬や抗精神病薬，抗ヒスタミン薬や抗コリン薬は肺炎発症のリスクを高める可能性があり，服薬調整も検討する。

嚥下障害に対する薬物療法は，パーキンソン病などの原因疾患に対する治療薬と，嚥下反射の惹起性や咳嗽反射を促すことを期待した治療薬が報告されているが，確実性の高いエビデンスはいまだ示されていない。

1 気道管理

嚥下障害による重度の誤嚥は，窒息や肺炎のような生命に関わる問題をもたらすため，気道管理は重要である。唾液の誤嚥により窒息する危険性がある場合は，気管切開とカフ付き気管カニューレの留置による気道確保が必要となる。気管カニューレのチューブ先端が気管壁と接触すると，物理的刺激による咳嗽や出血のみならず，肉芽増生による気道閉塞や気管腕頭動脈瘻の原因となるため，留置した際は内視鏡やCT検査などで評価することが望ましい。

気管切開を行うことにより，①喉頭挙上の制限，②カフによる頸部食道の圧迫，③気道感覚閾値の上昇，④声門下圧の維持が不能，⑤喉頭閉鎖における反射閾値の上昇，⑥呼吸リズムの変調などにより，嚥下機能がさらに悪化する可能性がある。気管カニューレのカフは唾液などの誤嚥物をカフ上にとどめ下気道への流入を防ぐことができるが，効果は一時的であり完全でないため，定期的な吸引が必要である。

気管カニューレにはカフの有無や一方弁の有無など，用途に応じた様々な形状のものがあり，痰の量や性状，誤嚥の程度，呼吸機能などを評価し，適切な気管カニューレを選択する。全身状態や呼吸状態が安定し，痰や流入した唾液の喀出力が担保された時点で，一方弁を装着可能な発声用カニューレへ変更することが嚥下機能の改善や嚥下訓練の促進のために推奨される。カフ付きの発声用カニューレを使用する際は，側孔が気管孔肉芽などで閉塞してないか確認する。一方弁の使用により，声門下圧の維持が可能となり，誤嚥物が下気道へ流入するリスクを低減する効果が期待できる。

気管切開は完全に誤嚥を防止できる手段ではなく，カニューレ管理などの保存的治療によっても唾液誤嚥が制御されず，将来的に改善の見込みが乏しい場合は，誤嚥防止手術を検討する。

2 栄養管理

嚥下障害の治療期間中，栄養管理は常に並行して行う。嚥下障害は経口摂取不良による低栄養や脱水をもたらす。また，低栄養は，易疲労性等から嚥下機能・経口摂取能力自体を悪化方向に修飾し，筋萎縮等をきたすとそれだけでも嚥下障害を生じる（サルコペニアによる嚥下障害）。低栄養は肺炎のリスクも高くし，また，咳・喀出努力の易疲労性にもつながる。

嚥下障害の治療開始にあたっては，栄養状態の評価を行い，嚥下障害の治療開始前に生じた低栄養や脱水の回復も含めて，経口摂取不足部分を補うように非経口的な栄養投与を計画する。

栄養状態の評価においては，標準的な栄養スクリーニング（Global Leadership Initiative on Malnutrition：GLIM基準など）を用いて記録することが望ましい。

注 GLIM基準の詳細は日本栄養治療学会「GLIM基準について」(https://www.jspen.or.jp/glim/glim_overview)を参照

栄養状態の評価・栄養管理においては多職種連携，特に管理栄養士との連携が欠かせない。施設に栄養サポートチーム（NST）があればその支援を得ることもできる。

栄養投与の選択肢としては，①経口摂取（単位量当たり高カロリーまたは栄養成分強化した食品の利用など），②経静脈栄養（末梢静脈栄養），③中心静脈栄養，④経鼻経管栄養，⑤間欠的経管栄養，⑥胃瘻または腸瘻，⑦経皮経食道胃管挿入術（PTEG），などがある。

3 口腔ケア

口腔ケアは，狭義には，歯や口腔内に付着した細菌・食物残渣・舌苔等の除去を行い，歯科疾患の予防や口腔粘膜疾患，誤嚥性肺炎の予防などを目的に行うことである。口腔内細菌の減少効果があるため，誤嚥性肺炎の発症予防や重症化予防に寄与し，嚥下障害診療上有用である。

口腔ケアには，口腔内に対する感覚刺激の意義もある。唾液分泌の促進は咀嚼における食塊の形成に寄与する。また，電動歯ブラシによる刺激でサブスタンスPの分泌促進がなされた報告があるなど，感覚刺激を介して中枢性に嚥下機能の改善に寄与すると考えられる。誤嚥性肺炎の予防と口腔ケアに関する諸報告からは，歯科衛生士，歯科医師の関与が有効とされている。また，本人が行う口腔ケア（歯磨きやうがい）は，口腔衛生の改善が期待できるだけでなく，咀嚼・嚥下および誤嚥時の喀出等に関連する筋肉を使用する行為でもあり，本人による歯磨きやうがいの励行は，これらの機能改善の意義があると考えられる。さらに，口腔ケアに伴う口腔の観察は，歯科疾患の存在を明らかにし，義歯の製作・調整，う蝕，歯周病などの適切な歯科治療につなげる契機となることも利点である。

4 嚥下訓練

嚥下指導は，食事中の環境整備，食事に適した姿勢，食具の選択，食事形態や摂取方法の工夫，誤嚥した際の対応など，一般的な誤嚥予防や対応策を説明する。本章の「2-10　対応基準」(p.39参照)の1.を含めすべての症例に適応となる。

嚥下訓練は，嚥下障害の病態に応じて治療目標を設定し実施する。主に前掲「2-10　対応基準」の2.と3.が適応となる。訓練法は，嚥下内視鏡検査の異常所見(**表2-10**)や，嚥下造影所見，その他の診察所見をもとに，病態に応じた方法を選択する(**表2-11**)。そして，嚥下状態の変化や訓練の効果を適宜再評価し，計画を修正する。

嚥下障害に対して指導訓練として行われるアプローチは，食事時(経口摂取時)の嚥下指導と，それとは別に行う目的を明確とした訓練とがあり，前者は代償的なアプローチ，後者は嚥下機能(＋関連機能)そのものの改善をめざす治療的アプローチである。しかしながらこれらは完全に分けられるものではない。代償的アプローチを駆使しつつ(適切な指導をしつつ)，経口摂取(繰り返し嚥下すること)を行うことで，嚥下機能そのものの改善につながる(代償的アプローチを用いずに嚥下できるようになる)ことは知られており，段階的に食形態や摂取量を変更させていく手法はこの代表的なものである。また，場面的にも，食事の前に，訓練的なことを行う場合や，電気刺激などの物理的刺激を併用しつつ経口摂取を行うこともある。

電気や磁気を利用した治療法も開発され，利用されている。神経筋電気刺激療法(NMES)としては，前頸部(舌骨周囲)に貼付した表面電極から微弱な電流を流すことで，嚥下時の喉頭挙上を増強させる手法が主流であり，表面筋電図のモニターを見せつつ訓練をするバイオフィードバック手法や，干渉波刺激を感覚閾値の改善に利用する方法などがある。脳卒中症例では，大脳への反復経頭蓋磁気刺激法(rTMS)，経頭蓋直流刺激法(tDCS)の効果による誤嚥軽減や摂食レベルの向上が報告されつつある。

付記：用語について

①本ガイドラインでは広義に嚥下訓練という用語を用いているが，「嚥下機能訓練」等の用語も用いられており，その場合，使用者によって，治療的アプローチに限局した意味で用いている場合と広義の意味で使用している場合がある。

②「嚥下リハビリテーション」という用語にも，包括的なすべてのアプローチ(マネジメントも含む)を指す場合と，訓練そのものをさす場合がある。また，嚥下障害診療ガイドライン2018年版では，間接訓練・直接訓練の分類を行っていたが，欧米ではこのような分け方は主流ではないため，本ガイドラインでは本文から削除した。

③本邦における診療報酬用語として，「摂食機能療法」という語があり，「摂食機能障害を有する患者に対して，個々の患者の症状に対応した診療計画書に基づき，医師又は歯科医師

表2-10　嚥下内視鏡検査での異常所見への主な対処法

内視鏡所見の異常	対処法	方法と効果
早期咽頭流入	食形態の工夫	液体にはとろみをつける 固体の場合，ばらけやすい刻みなどを避ける
	頭部前屈位*1	嚥下運動まで喉頭蓋谷に食塊を貯める
嚥下反射の惹起遅延	頭部前屈位*1	喉頭蓋谷に食塊を貯める
	食形態の工夫	上記参照
	嚥下反射惹起の促通 前口蓋弓冷圧刺激， のどのアイスマッサージ	咽頭を冷圧刺激し嚥下反射の惹起を促す
	感覚刺激の増大	食品の刺激を強くして（温度・酸・炭酸など）嚥下反射の誘発を促す
	感覚閾値の改善	咽頭ケア 干渉波電気刺激
咽頭残留	複数回嚥下	複数回の嚥下を行い，残留物の送り込みを促す
	うなずき嚥下	反動をつけてうなずきながら嚥下する
	頸部回旋嚥下	嚥下した後に左右交互に頸部を回旋してさらに嚥下する
	交互嚥下	とろみ付き液体やゼリーなど残留しにくい物性の食品を追加で嚥下する
喉頭侵入	頭部前屈位*1	喉頭蓋谷に食塊を貯める
	息こらえ嚥下	喉頭閉鎖を補強する
	強い息こらえ嚥下	喉頭前庭閉鎖を補強する
誤　嚥	呼吸パターン訓練	嚥下直後に呼気で喉頭侵入・誤嚥した食塊を排出する
	咳・排痰訓練，ハフィング法	喀出能力を高める
	体位ドレナージ・排痰支援	肺への誤嚥や分泌物の貯留を想定して定期的に排出を図る

＊1 表2-11参照

若しくは医師又は歯科医師の指示の下に言語聴覚士，看護師，准看護師，歯科衛生士，理学療法士又は作業療法士が訓練指導を行った場合」とされている。また，そのQ＆A（平成19年7月3日事務連絡）に，「摂食の際の体位の設定等については理学療法士又は作業療法士も行うことができることから，これらを摂食機能療法として算定することができるものとする」，「摂食機能療法に含まれる嚥下訓練については，医師又は歯科医師の指示の下に言語聴覚士，看護師，准看護師又は歯科衛生士に限り行うことが可能である。」という記載がある。すなわち，診療報酬上では，食事場面におけるアプローチは摂食機能療法と

表2-11　口腔・咽頭期の異常所見と主な対応法

嚥下障害の病態	対処法	期待される効果
舌運動障害	リクライニング（頭部後屈位）	重力を利用して食塊を咽頭へ移送する
	舌運動訓練	舌運動の改善
舌根運動障害	構音訓練，舌の可動域訓練	舌運動の巧緻性と舌圧の増大
	アンカー強調嚥下法*2	舌根運動の補強
	前舌保持嚥下法*3	咽頭後壁運動の強化
鼻咽腔閉鎖不全	ブローイング法	軟口蓋挙上の補強
喉頭閉鎖不全	息こらえ嚥下	息こらえ，発声，咳嗽の訓練による喉頭閉鎖の補強
喉頭挙上障害	メンデルソン法	喉頭挙上時間の延長
	頭部挙上訓練（シャキア法*4・嚥下おでこ体操など変法）・神経筋電気刺激	舌骨上筋群の強化
	強い息こらえ嚥下	喉頭挙上の補強
	頭部前屈位*1・頬杖位	喉頭挙上位やその左右差の補正
食道入口部開大障害	頭部挙上訓練（シャキア法*4）	舌骨上筋群の強化による喉頭の牽引
	食道バルーン拡張法	食道入口部の開大
	頸部回旋位	食道入口部静止圧の低下
	顎突出嚥下法	喉頭牽引による食道入口部の開大
喉頭麻痺・咽頭麻痺	頸部回旋位・頸部側屈位	食塊の健側咽頭への誘導
	側臥位・側屈位	重力に配慮した食塊移送
	息こらえ嚥下・強い息こらえ嚥下	喉頭閉鎖の補強

*1 頭部前屈位：chin tuck, chin downと英語では表記され，しばしばあご引き嚥下とも呼ばれるが，「あごを引いて」と指示すると，顎を胸に引き付けるほうに注力しすぎて却って飲み込みにくくなることもあり，「下を向いて」などの指示がよいこともある。頭頸部の角度には，頭部屈曲位，頸部屈曲位，頭頸部複合屈曲位などがあり，嚥下に与える影響はそれぞれ異なる。もともとの脊椎のアライメントや座り方によっても効果が異なる。

*2 アンカー強調嚥下法：舌可動部が硬口蓋に接触することを意識化する。

*3 前舌保持嚥下法：舌尖部を歯で挟んで固定し空嚥下する。

*4 シャキア法（Shaker exercise）：仰臥位にて，肩を床から離さないようにしながら頭部を持ち上げてつま先を見るようにする。臥位での訓練であるため，座位でも同様の効果を期待した嚥下おでこ体操やCTAR（Chin Tuck Against Resistance），おとがい訓練などが開発・利用されている。

して広い職種で算定が可能であり，診療報酬上の「嚥下訓練」はより狭義のものと判断できる（例：食事を開始していない症例への食物を用いた訓練など）。

1）代償的アプローチ法

代償的アプローチ法は，現状の嚥下機能を最大限に活用して誤嚥のリスクを最小限にすることを目指した工夫である（**表2-10，2-11**）。

摂食時の姿勢や食形態の調整・選択が代表的な方法である。頭部前屈位は，嚥下反射の惹起遅延に対して有用である。頸部回旋位は，延髄外側症候群など片側の咽頭・喉頭筋麻痺に効果が期待できる。

☞CQ6「嚥下障害患者に対する姿勢調整は誤嚥防止に有用か？」（p.67参照）

食形態の調整・選択は，咀嚼・食塊形成の障害や不適切な送り込み，嚥下反射の惹起遅延への対応と咽頭残留の軽減を目指したものである。代表的なものとして，液体の場合，嚥下反射の惹起遅延に対しては，とろみのある液体により移動速度をやや落とすことで，対応することが知られている。液体にとろみをつけすぎると付着性が増し，咽頭残留の要因ともなるため，適切なとろみの程度を検討する。摂取した食物が咽頭残留する場合に，食形態が異なるものを交互に摂取することで残留した食物を，除去できることも知られている。

2）治療的アプローチ法

麻痺や障害を受けた部分に働きかけて，嚥下機能の代償や補強・改善を目指した訓練である（**表2-10，2-11**）。

（1）嚥下反射惹起を促すための訓練

前口蓋弓冷圧刺激（thermal-tactile stimulation）は，前口蓋弓に冷圧刺激を加えることで嚥下反射の惹起を促す手法である。このほかに感覚入力を高める方法としては，のどのアイスマッサージ，氷片をなめる，食物の味や温度を変える，スプーンなどで舌に圧刺激を加えるなどがある。

（2）嚥下関連器官の機能訓練

嚥下関連器官の筋力強化とストレッチを目的としている。舌の可動訓練，構音訓練もこの範疇に入る。プッシング法やブローイング法は，声門閉鎖機能・鼻咽腔閉鎖機能・呼吸機能の改善に役立つ。頭部挙上訓練（シャキア法/Shaker exercise）や種々の変法は，舌骨上筋群を強化し喉頭挙上に伴う食道入口部開大を企図した訓練法である。最近では経皮的電気刺激療法が導入されている。

☞CQ7「呼吸筋訓練は嚥下機能の維持・改善に有効か？」（p.69参照）
CQ8「嚥下障害患者に対する神経筋電気刺激療法は，嚥下機能改善に有用か？」（p.72参照）

（3）咽頭期嚥下の改善・強化訓練

息こらえ嚥下法は，喉頭閉鎖を補強することで喉頭流入のリスクを軽減する嚥下法で，嚥下→呼気のパターンを習得する。メンデルソン法（Mendelsohn maneuver）は，嚥下時に喉頭が挙上することを意識化させ，喉頭の挙上運動を強化する手法である。アンカー強調嚥下法や前舌保持嚥下法（tongue hold swallow）は，舌根部の嚥下圧の上昇が期待できる。食道入口部の開大不全に対しては，顎突出嚥下法や食道入口部バルーン拡張法がある。

(4) 嚥下パターン訓練

嚥下運動を反復することが嚥下機能の改善につながる。空嚥下や少量の水嚥下などを繰り返し実施し，誤嚥のリスクの少ない嚥下法や呼吸法のパターンを習得することを目指す。ネラトンカテーテルなどを用いて嚥下運動を繰り返す訓練法もある。

2-14 外科的治療

嚥下障害に対する外科的治療には，呼吸および発声機能などの喉頭機能を温存しつつ経口摂取を目指す「嚥下機能改善手術」と，発声機能は失うが誤嚥を確実に回避することを目的とした「誤嚥防止手術」がある（**表2-12**）。

1 嚥下機能改善手術

1) 手術の概要

障害された機能を補填し，経口摂取を目指す。嚥下訓練などの保存的治療が奏効しない場合に考慮される外科的治療である。術後にも嚥下リハビリテーションが必要であることを説明しておく。

代表的な手術法には，食道入口部を弛緩させる輪状咽頭筋切断術，喉頭挙上を強化する喉頭挙上術，声門閉鎖不全を改善する声帯内方移動術などがあるが，嚥下障害の病態診断に基づいて，単独あるいは組み合わせて行われる。ただし，舌による食物の送り込みの障害など口腔期障害の改善は難しい。

2) 手術に関する留意点

口腔期の機能がある程度保たれているが，咽頭期の障害が顕著で，適切な嚥下訓練を受けたにもかかわらず十分な効果が得られないような重症例が手術適応となる。特に①年齢，②基礎疾患，③基礎体力・栄養状態・認知機能・合併症，④訓練の効果などの要因を考慮して手術適応を判断する。一方で，誤嚥してもある程度むせがあり，自己排痰が可能な症例は適応となる。したがって，咽頭や喉頭の感覚低下が著しい場合，痰の喀出が十分にできない場合や，胃食道逆流を認める場合には，適応を慎重に検討するべきである。一方で，治療者の指示に従って術後リハビリテーションができることも，手術適応を判断するうえで重要である。また，陳旧性の脳血管障害・末梢神経障害や頭頸部の術後などで障害部位が限定されており，症状の変動がない場合は外科的介入によって機能回復に期待がもてる。進行性の疾患の場合には，手術侵襲を加えて嚥下機能を向上できたとしても，十分な摂食に至る前に原疾患の悪化・進行から安全な経口摂取に至らないことがある。嚥下機能改善手術の施行には原疾患の検討や進行の早さなどについて，脳神経内科医と情報共有のうえ，十分慎重になる必

表2-12　嚥下障害に対する外科的治療

1　嚥下機能改善手術	
咽頭内圧上昇	咽頭弁形成術 咽頭縫縮術
食道入口部開大	輪状咽頭筋切断術 (頸部外切開法と経口法) 喉頭挙上術
喉頭挙上	喉頭挙上術 舌骨下筋群切断術
喉頭閉鎖の強化	声帯内方移動術 (披裂軟骨内転術，甲状軟骨形成術I型，声帯内注入術など) 喉頭蓋管形成術
2　誤嚥防止手術 (気道と食道の分離)	
喉頭温存	喉頭レベルでの閉鎖 (声門閉鎖術，声門下閉鎖術など) 気管レベルでの閉鎖 (喉頭気管分離術，気管食道吻合術) 喉頭音声を温存する誤嚥防止手術 (通称TED with TEP手術) *1
喉頭非温存	喉頭摘出術 喉頭中央部分切除術 *2

*1 喉頭気管分離術・気管食道吻合術にボイスプロテーゼ挿入を組み合わせた術式。喉頭を音源とする音声機能を維持することができる。
*2 喉頭摘出の範囲を狭域とする誤嚥防止手術として手術操作を喉頭中央部に限定した切除術。

要がある。また，嚥下機能の再悪化時の対応についても，術前のインフォームドコンセントの際に加えておくことが望まれる。手術においては，適切と考えられる術式を選択しても，その後に出現した新たな障害や，手術操作による炎症や瘢痕によって，必ずしも期待どおりの効果が得られない場合もある。また，手術によって嚥下機能は改善しても誤嚥の可能性は残存しているので，常に誤嚥の可能性を考慮しつつリハビリテーションを継続する。

2　誤嚥防止手術 (気道と食道の分離)

1) 手術の概要

気道と食道を分離することで誤嚥を防止する。喉頭を摘出する術式 (喉頭全摘出術，喉頭中央部分切除術) のほかに，喉頭を温存し喉頭レベル (声門閉鎖術，声門下閉鎖術) や気管レベル (喉頭気管分離術，気管食道吻合術) で分離する方法も考案されている。いずれの術式でも基本的には発声機能は失われ，永久気管孔が造設される。気管食道シャントを併施することで発声が可能な術式も開発されている。ただし，誤嚥防止が目的であり必ずしも術後の経口摂取を保証するものではない。

2) 手術に関する留意点

①誤嚥による誤嚥性肺炎の反復がある，または将来的にその危険性が高い，②嚥下機能の回復が期待できない，③構音機能や発声機能がすでに高度に障害されている，④発声機能の喪失に納得している，場合に手術適応となる。基礎疾患や全身状態の面からは，進行に伴い全身麻酔が困難になる場合などもあり，QOLの観点から，あるいは救命の観点からはなるべく早い時期に施行することが望まれるが，現実には手術に踏み切るタイミングは，患者本人の生きる意志（living will）の確認や，家族の理解を含めたadvanced care planning（ACP）を準備しておくことが望ましい。また，倫理カンファレンスの実施について検討を要する場合がある。術後の管理体制，介護体制など多くの内容を検討して進める必要がある。一方，脳神経内科領域でも，筋萎縮性側索硬化症やパーキンソン病，脊髄小脳変性症・多系統萎縮症のガイドラインで誤嚥防止手術の適応について言及がなされている[1-3]。「筋萎縮性側索硬化症ガイドライン2023」では，進行例では慢性的な誤嚥のために気管内吸引などの目的で気管切開が選択される場合があるが，その時点において多くの場合，誤嚥防止手術の適応を満たしており，耳鼻咽喉科医との連携を考慮すると記載されている[1]。術後の経口摂取の可否については，原則的に誤嚥防止を目的とするだけなので，術後の経口摂取は保証されないことを事前に十分に説明する必要はある。一方，症例によっては口腔期嚥下機能が温存されていれば，楽しみ程度の経口摂取や，時には条件付きの食形態で，経口摂取を自立することが可能な場合もある。

3) 永久気管孔の管理

永久気管孔は気道の唯一の入口であり，絶対にふさいではならない。永久気管孔であること，その構造を患者家族のみならず，介護や看護全てのスタッフに周知徹底する。鼻呼吸機能喪失（防塵，加湿，嗅覚）も含めて，喉頭全摘後に準じた対応が必要となる。たとえば乾燥性気管炎の予防として永久気管孔部のエプロンや人工鼻の使用，適切な吸入などの加湿の指導が重要となる。

参考文献

1）日本神経学会．筋萎縮性側索硬化症（ALS）診療ガイドライン2023．p140．南江堂，2023．
2）日本神経学会．パーキンソン病診療ガイドライン2018．p.171．医学書院，2018．
3）日本神経学会・厚生労働省運動失調症の医療基盤に関する調査研究班．脊髄小脳変性症・多系統萎縮症ガイドライン2018．pp.237-238．南江堂，2018．

第3章　Clinical Questions (CQ)

CQ1 嚥下機能評価に簡易検査は有用か？

推奨

嚥下障害が疑われる患者に対して，医師の指示の下に看護師や言語聴覚士が嚥下機能の簡易検査を行って嚥下障害や誤嚥のある患者を選定し，早期に介入することで誤嚥性肺炎のリスクを軽減できる可能性がある。脳卒中以外の疾患に関して簡易検査の有用性に関する高いエビデンスはいまだ示されてはいないが，脳卒中急性期に行う場合には，嚥下障害や誤嚥の早期発見によって肺炎発症率や死亡率は低減し入院期間は短縮する強いエビデンスがある。嚥下障害が疑われるものの，ただちに嚥下内視鏡検査（VE）や嚥下造影検査（VF）を行えない場合には簡易検査を行うことを勧める。
【強い推奨，合意率88%（14／16）】

背景

嚥下機能評価の標準検査は嚥下内視鏡検査（VE）や嚥下造影検査（VF）であるが，いずれの検査も迅速な応需は容易ではない。たとえば脳卒中早期には嚥下障害の有無や誤嚥の有無を迅速にスクリーニングすることが望まれており，欧米のガイドラインでは看護師や言語聴覚士によって入院早期に嚥下機能の簡易検査を行うことが推奨されている[1]。

益と害の評価

益：特殊な機器を要しない，誤嚥性肺炎の予防，介入成功
害：なし

解説

嚥下機能評価の簡易検査は嚥下障害や誤嚥をスクリーニングするものであり，嚥下障害の病態を評価することはできない。簡易検査による嚥下障害や誤嚥の検出精度は，VEあるいはVFの所見を基準として検討されてきた[1-5]。

簡易検査には，指示嚥下の様子や嚥下後の声の変化などを評価する臨床観察，水あるいは水以外の食品を嚥下する検査，嚥下後の血中酸素飽和度の計測などさまざまな方法が開発されており，VEあるいはVF所見との比較によって嚥下障害や誤嚥を検出する感度や特異度に関する検討が行われている。

脳卒中患者の誤嚥のスクリーニングにおける水嚥下検査の有用性に関するシステマティックレビューでは誤嚥検出の感度は64～79%，特異度は61～81%であり，正診率は水の量に左右され，3オンスの水嚥下が最も推奨されると報告されている[2]。

老人ホーム入所者に対して行った嚥下機能の簡易検査による嚥下障害の検出精度に関するシステマティックレビューでは，正診率が高いのは3オンスの水嚥下テストと，Yale swallow protocolおよびGugging Swallowing Screen（GUSS）であったと報告されている[3]。

GUSSは，咀嚼機能を含めた摂食嚥下機能をスコア化し，その合計点で食形態を提案するスクリーニング方法であり，間接評価からステップワイズ形式で，半固体，液体，固体の検査食へと徐々に難度の高い直接嚥下機能を評価していくことで，評価点数によって望ましい食形態を提案できる簡易検査である。

脳卒中急性期を含めた神経学的疾患患者に対する簡易検査による嚥下障害検出の信頼性を検討したシステマティックレビューでは，水嚥下テストとパルスオキシメーターを組み合わせたスクリーニングが感度73～98％，特異度63～76％と最も優れており，パルスオキシメーターを併用することで不顕性誤嚥を検出できると報告されている[4]。

脳卒中急性期における誤嚥診断の正診率についてのBoadenらによるシステマティックレビューでは，水嚥下と機器を組み合わせたスクリーニングで最も優れていたのは，Bedside Aspiration testであり，水と他の物性の食品を組み合わせる検査で最も優れていたのはGUSSであり，水嚥下のみによるスクリーニングで最も優れていたのは，Toronto Bedside Swallowing Screening Testであった[1]。

脳卒中患者に対する嚥下障害検出精度に関するシステマティックレビューでは，誤嚥に関するGUSSの感度は97％，特異度は67％，AUCは0.9381であり，早朝や夜間帯でも対応できる看護師が脳卒中早期にGUSSを行うことで，入院から検査までの待機時間と肺炎発症率はコントロールと比べて少ない（$p=0.004$）[5]。

脳卒中患者への嚥下機能簡易検査の利点に関するメタ解析では，簡易検査施行群において，肺炎発症率，死亡率，経管栄養依存率，入院期間いずれも低く，簡易検査の有用性が示されている[6]。

参考文献

1）Boaden E, Burnell J, Hives L et al. Screening for aspiration risk associated with dysphagia in acute stroke（Review）. Cochrane Database of Systematic Reviews. 2021；10；CD012679.（レベルⅠ）
欧米では脳卒中急性期，入院後24時間以内に嚥下の簡易検査を行い誤嚥の有無を判断することが推奨されている。誤嚥の正診率について，水嚥下と機器を組み合わせたスクリーニングで最も優れていたのはBedside Aspiration testであり，水と他の物性の食品を組み合わせる検査で最も優れていたのはGugging Swallowing Screenであり，水嚥下のみによるスクリーニングで最も優れていたのはToronto Bedside Swallowing Screening Testであった。

2）Chen PC, Chuang CH, Leong CP, et al. Systematic review and meta-analysis of the diagnostic accuracy of the water swallow test for screening aspiration in stroke patients. Journal of advanced nursing. 2016；72：2575-2586.（レベルⅠ）
脳卒中患者の誤嚥のスクリーニングにおける水嚥下検査の有用性の検討を行い，誤嚥の感度は64～79％，特異度は61～81％であり，正診度は水の量に左右され，3オンスの水嚥下が最も推奨される。

3）Artiles CE, Regan J, Donnellan C. Dysphagia screening in residential care settinngs：A scoping review. International J of Nursing Studies. 2021；114：1-13.（レベルⅠ）
老人ホームで行われる嚥下スクリーニングで正診度が高いのは3オンス水嚥下テスト，Yale swallow protocolとGUSSであった。

4) Bours GJJW, Speyer R, Lemmens J, et al. Bedside screening test vs. videofluoroscopy or fiberoptic endoscopic evaluation of swallowing to detect dysphagia in patients with neurological disorders：systematic review. Journal of advanced nursing. 2009；65：477-493.（レベルⅠ）
脳卒中急性期を含めた神経学的疾患患者における簡易検査の信頼性を検討したシステマティックレビューでは，水嚥下テストとパルスオキシメーターを組み合わせたスクリーニングが感度73～98%，特異度63～76%と最も優れていた。特にパルスオキシメーターを併用することで不顕性誤嚥を検出できる。
5) Park KD, Kim TH, Lee SH. The Gugging swallowing screen in dysphagia screening for patients with stroke：a systematic review. International J of Nursing Studies. 2020；107：103588.（レベルⅠ）
脳卒中患者に対するGUSSの有用性に関するシステマティックレビュー。GUSSの感度は0.97（0.93-0.99），特異度は0.67（0.59-0.74），AUCは0.9381であった。看護師が脳卒中早期にGUSSを行うことで検査時間と肺炎発症率はコントロールと比べて少なく（p＝0.004）。GUSSを行った場合にX線上での肺炎像は，他のスクリーニング法よりも有意に少なかった。しかし肺炎発症率は，10mL水嚥下テストで予測した場合と比較して有意差はなかった。
6) Sherman V, Greco E, Martino R. The benefit of dysphagia screening in adult patients With stroke：a meta-analysis. J Am Heart Assoc. 2021；10：e018753.（レベルⅠ）
脳卒中患者への嚥下機能簡易検査の利点に関するメタ解析では，簡易検査施行群において，肺炎発症率，死亡率，経管栄養依存率，入院期間いずれも低く，簡易検査の有用性が示されている。

CQ2 嚥下内視鏡検査は治療法の選択に有用か？

推奨

嚥下内視鏡検査は，誤嚥や喉頭侵入，早期咽頭流入，咽頭残留など，主要な嚥下動態の指標において嚥下造影検査に匹敵する検出力を有することから，嚥下障害の治療法選択において極めて有用であり，実施することを強く推奨する。ただし，内視鏡挿入による違和感や誤嚥の検出精度の問題も考慮して実施し，必要に応じて嚥下造影検査など，他の検査も併施することが望ましい。
【強い推奨，合意率87％（13／15）】

背景

嚥下障害の治療法を選択するうえで，機能評価は極めて重要である。嚥下機能評価法として，嚥下造影検査，嚥下内視鏡検査，嚥下圧検査などが臨床的に活用されているが，特に嚥下造影検査，嚥下内視鏡検査は嚥下関連器官を直接的に観察可能な検査法として，中心的な役割を担っている。

口腔から食道まで観察可能な嚥下造影検査は，嚥下機能検査のゴールドスタンダードとされているが，放射線被曝や検査時間・場所の制限，造影剤の使用などの問題点もあった。1980年代に米国で考案され，2000年代に本邦で広く普及した嚥下内視鏡検査は，咽頭しか観察できない反面，時間の制限なくベッドサイドで実施可能，喉頭の感覚評価が可能，一般の食事を検査食として使用可能，などの利点があり，検査法としてどちらが優れているか，という議論がなされてきた。

益と害の評価

益：嚥下機能の客観的評価，適切な治療法の決定
害：検査の負担（検査時の鼻腔・咽頭の違和感など）

解説

嚥下機能検査の有無における治療法の選択や帰結に関する質の高いエビデンスを有する研究は皆無であるが，嚥下障害の治療法を決定するにあたり，嚥下機能検査の有用性は自明ともいえる。これまでに嚥下機能検査のゴールドスタンダードとされている嚥下造影検査と同等な診断的価値を有することを示す多くの観察研究で，嚥下内視鏡検査の有用性が示されてきた。

Giraldo-Cadavidらは，嚥下内視鏡検査と嚥下造影検査の精度について，システマティックレビューとメタアナリシスを行い，嚥下内視鏡検査は誤嚥や喉頭侵入，早期咽頭流入の検出において嚥下造影検査と有意な差はなく，咽頭残留の検出ではより感度が高かったと結論づけている[1)]。またAvivは，126例を対象に嚥下内視鏡検査または嚥下造影検査の結果に基

づく嚥下指導の有効性を，ランダム化比較試験で検討し，肺炎罹患率や非発症期間に有意差を認めなかったと報告している[2)]。すなわち，嚥下内視鏡検査は嚥下造影検査と同等以上の診断的価値を有し，治療方針決定において有用であることが示されている。

一方で，嚥下内視鏡検査では，嚥下造影検査よりも重症に判定される可能性も考慮する必要がある。Kellyらは，嚥下内視鏡検査と嚥下造影検査の誤嚥評価の比較研究をPASスコアを用いて行い，同一嚥下において嚥下内視鏡検査の方が平均1.15点高く判定したとしている[3)]。また，Adachiらは，内視鏡挿入下および非挿入下で嚥下造影検査を実施し，内視鏡挿入下において誤嚥や咽頭残留が有意に生じやすかったとしている[4)]。すなわち，内視鏡挿入の違和感により嚥下動態に影響を与えたり，内視鏡における視野の限界により誤嚥の判定が正確に行えないことを念頭に置いて，必要に応じて複数回の検査や嚥下造影検査など他の検査を行う必要がある。

参考文献

1）Giraldo-Cadavid LF, Leal-Leaño LR, Leon-Basantes GA, et al. Accuracy of endoscopic and videofluoroscopic evaluations of swallowing for oropharyngeal dysphagia. Laryngosope. 2017；127：2002-2010.（レベルⅠ）
嚥下内視鏡検査（FEES）と嚥下造影検査（VFSS）の精度について，システマティックレビューとメタアナリシスを行った。PubMed，Embase，LILACSを用いて5,697件の文献を収集し，6件（n＝198）についてFEESとVFSSのreference standardに対する感度・特異度をレビューした。さらに，臨床的な異質性をもつ2論文を除いた4論文でメタアナリシスを行ったところ，FEESは誤嚥や喉頭侵入，早期咽頭流入の検出においてVFSSと有意な差はなかったが，咽頭残留の検出ではVFSSよりも感度が高かった。

2）Aviv JE. Prospective, randomized outcome study of endoscopy versus modified barium swallow in patients with dysphagia. Laryngoscope. 2000；110：563-574.（レベルⅡ）
嚥下障害のある外来患者の嚥下・食事管理を評価・指導するための検査として，感覚検査付き軟性内視鏡嚥下評価（FEESST）またはバリウム嚥下検査（MBS）のどちらが優れているかを調査した。嚥下障害のある外来患者126名を，FEESSTまたはMBSのいずれかにランダムに割り当て，治療アルゴリズムに基づき介入した。1年間追跡した結果，1年以内に肺炎を発症したのはMBS群［76名中14名（18.4％）］，FEESST群［50名中6名（12.0％）］であった（p＝0.33）。肺炎のない期間の中央値はMBS群47日，FEESST群39日であった（P＝0.96）。嚥下障害患者に対する嚥下評価，食事指導，代償法指導をMBS，FEESSTのいずれで行っても，肺炎の発症率や非発症期間に関して同等であった。

3）Kelly AM, Drinnan MJ, Leslie P. Assessing penetration and aspiration：how do videofluoroscopy and fiberoptic endoscopic evaluation of swallowing compare？ Laryngoscope. 2007；117：1723-1727.（レベルⅣb）
VFとFEESで評価されるPenetration-Aspiration Scale（PAS）スコアの差について検討した研究。両検査で得られたPASスコアの評価内および評価者間の信頼性は0.64～0.79であり良好であった。しかし，同一嚥下におけるFEESとVFのPASスコアは，FEESの方が平均1.15点高い結果を示した（p<0.01）。したがって，FEESではVFよりも喉頭侵入や誤嚥をより重症であると評価していることが示唆された。

4）Adachi K, Umezaki T, Kikuchi Y. Videoendoscopy worsens swallowing function：a videofluoroscopic study. A randomized controlled trial.
Eur Arch Otorhinolaryngol. 2017；274：3729-3734.（レベルⅣb）

嚥下障害患者37名に，内視鏡を挿入した状態と挿入しない状態で嚥下造影検査を実施し，両条件における喉頭挙上遅延時間，PASスコア，Pharyngeal Residue Severity Rating Scale (PRS) スコアを比較した。内視鏡挿入の有無による喉頭挙上遅延時間の変化はなかった（内視鏡未挿入：0.35±0.16秒，内視鏡挿入：0.36±0.16秒）。PASスコア（内視鏡未挿入：3.59±2.71，内視鏡挿入：4.41±2.85）とPRSスコア（内視鏡未挿入：0.97±0.93，内視鏡挿入：1.46±1.10）には有意差を認めた。内視鏡未挿入で誤嚥しなかった患者が，内視鏡挿入時に誤嚥することはあったが，反対に内視鏡挿入時に誤嚥しなかった患者では，内視鏡未挿入時にも誤嚥はなかった。

CQ3 舌圧測定は嚥下機能の評価に有効か？

推奨

舌圧測定単独で嚥下障害を予測できるという，エビデンスレベルの高い報告はいまだない。しかしながら，最大舌圧値が舌運動障害や嚥下障害と相関するという疫学研究が複数報告されている。また脳卒中やパーキンソン病，筋萎縮性側索硬化症の患者における最大舌圧値の低下は嚥下障害発症の早期診断に役立つという報告もあり，侵襲性がなくベッドサイドでも施行できる舌圧測定は，嚥下機能の一つの指標となり得る。

【弱い推奨，合意率88％（15／17）】

背景

嚥下運動において舌は，食塊形成と口腔内移送および咽頭への駆出と重要な役割を担っており，舌機能の低下は嚥下口腔期および咽頭期に影響する。舌機能の指標として舌圧を測定し，嚥下造影検査（VF）所見との関連性に関する研究も行われている[1)]。また舌圧測定が，脳卒中やパーキンソン病および筋萎縮性側索硬化症（ALS）患者の嚥下障害を反映する指標となるとの報告もある[2-4)]。

益と害の評価

益：介入成功

害：なし

解説

舌圧測定には，国内外でいくつかの舌圧測定器が開発されており，バルーン式舌圧測定器やセンサーシート式舌圧測定器などがあり，現在本邦ではバルーン式のJMS舌圧測定器が広く用いられている。摂食嚥下障害患者の舌先端挙上圧と摂食嚥下機能との関連性を健常者と比較した検討では，舌圧は摂食嚥下障害の重症度や推奨される食形態を決定する一指標になること，舌圧はVF上の食塊形成や送り込みなどの舌運動機能や喉頭蓋谷残留と相関していたと報告されている[1)]。

菅野らは高齢者施設入所中の後期高齢者に対する嚥下スクリーニングとして行った舌圧測定と，嚥下内視鏡検査で確認された喉頭流入・誤嚥所見との相関について検討し，喉頭流入・誤嚥所見の有無についての舌圧のカットオフ値は18.8kPa（感度73％，特異度66％，AUC0.66）であり，高い相関は認めなかったと報告している[5)]。

脳血管障害者64名を対象に，センサーシート型測定装置で計測した舌圧を嚥下障害患者群（33名）と嚥下障害なし群（31名）で比較した検討では，舌圧は嚥下障害患者で有意に低く，最大の差は麻痺側でみられており，脳血管障害において舌圧低下は嚥下障害を予測する因子であると報告されている[2)]。

齋藤らはパーキンソン病患者の最大舌圧を測定し，嚥下動態および嚥下障害の客観的評価，運動症状との関連について検討を行い，パーキンソン病患者において最大舌圧の低下は誤嚥や咽頭残留など，主に咽頭期に生じる嚥下障害と関連していたと報告している[3)]。

参考文献

1) 青木佑介，太田喜久夫．嚥下障害患者における舌圧と摂食嚥下機能の関連．日摂食嚥下リハ．2014；18：239-248.（レベルⅣb）

健常者および摂食嚥下障害患者の舌先端挙上圧の評価を行い，摂食嚥下機能との関連性について検討した。健常者107名，摂食嚥下障害患者66名を対象とした。全例に対しJMS舌圧測定器を用いて，舌先端挙上圧（舌圧）を評価した。嚥下障害重症度分類（DSS），摂食状況（ESS），functional oral intake scale（FOIS）を評価した。また，VF所見との検討を行った。嚥下障害群では，最大舌圧とDSS, ESS, FOISとの間で相関がみられた（r＝0.33-0.58）。また，VF所見では，最大舌圧と口腔残留，食塊形成，送り込み，喉頭蓋谷残留で強い相関がみられた（r＝0.51-0.82）。さらに，嚥下時舌圧でも，口腔残留，食塊形成，送り込み，喉頭蓋谷残留の間で相関がみられた（r＝0.45-0.75）。しかし，梨状窩残留では，ともに相関は弱かった（r＝0.32，0.33）。

2) Hirota N, Konaka K, Ono T, et al. Reduced tongue pressure against the hard palate on the paralyzed side during swallowing predicts dysphagia in patients with acute stroke. Stroke. 2010；41：2982-2984.（レベルⅣb）

脳血管障害者64名において，センサーシート型測定装置で計測した舌圧を嚥下障害（33名）と嚥下障害なし群（31名）で比較した。舌圧は嚥下障害者で有意に低かった。最大の差は麻痺側でみられた。脳血管障害において舌圧低下は嚥下障害を予測する因子である。

3) 齋藤翔太，福岡達之，野崎園子，他．パーキンソン病患者における最大舌圧と嚥下動態との関連．言語聴覚研究．2016；13：120-127.（レベルⅣb）

パーキンソン病（PD）患者における最大舌圧と嚥下動態の関連性を検討した。対象はPD患者21名（平均年齢71.0歳）。最大舌圧はJMS舌圧測定器を用いて測定した。最大舌圧と嚥下障害重症度，スクリーニングテスト，嚥下造影所見との関連について検討を行った。さらに，Hoehn-Yahr（HY）の重症度，罹病期間，4大症状についても同様に調査した。全対象者の最大舌圧は26.1±9.5 kPaであり，同年代の健常高齢者に比べ低値であった。嚥下造影検査で誤嚥および多量の咽頭残留を認めたPD患者群では，最大舌圧が有意に低下していた（$p<0.05$）。最大舌圧はHY重症度（$r=0.49$，$\rho<0.05$），改訂水嚥下テスト（$r=0.57$，$p<0.05$）とそれぞれ有意な相関を認めた。本研究の結果から，PD患者において，最大舌圧の低下は誤嚥や咽頭残留など主に咽頭期に生じる嚥下障害も反映する可能性がある。

4) Hiraoka A, Yoshikawa M, Nakamori M, et al. Maximum tongue pressure is associated with swallowing dysfunction in ALS patients. Dysphagia. 2017；32：542-547.（レベルⅣb）

25名のALS患者（男性11名，女性14名，年齢37～76歳）を対象に嚥下機能評価における舌圧測定の有用性を検討した。ALS機能評価尺度改訂版（ALSFRS-R）に従って評価し，VFではヨーグルトの嚥下を観察し，バルーン式舌圧測定器で最大舌圧（MTP）を測定して，ALSFRS-Rスコア，嚥下機能，MTPの関係を分析した。球症状を認めない15名は，球症状がある10名よりも，MTPが有意に高かった。MTPは球症状がない患者と比較して，舌機能が低下している患者（$p=0.002$）または咽頭残留物がある患者（$p=0.006$）で有意に低かった。カットオフ値21.0 kPaのMTPは，球症状関連ALSFRS-Rスコアと関連していた。MTPは，ALS患者の嚥下特性を反映することから，ALS患者の嚥下障害を早期に発見するための診断ツールとなる可能性がある。

5) 菅野和広，今泉光雅，早川貴司，他．高齢者施設入所中の後期高齢者に対する嚥下スクリーニ

ングの妥当性評価 誤嚥検診を通じて．嚥下医学．2017；6：100-108.（レベルⅣb）
嚥下内視鏡検査を施行した168名中，舌圧測定を行った62名。（他にRSST113名，改訂水嚥下テストは158名で施行）。嚥下内視鏡検査で，喉頭侵入・誤嚥あり群，喉頭侵入・誤嚥無群に分類した。両群の舌圧に関するカットオフ値は18.8kPa（感度73%，特異度66%）であった。

CQ4 嚥下圧検査は治療方針決定にとって有用か？

推奨

嚥下圧検査を用いた嚥下障害の病態把握や治療効果の評価に関する多くの研究や症例報告がある。特に食道入口部機能の定量的評価を基に，各種リハビリテーション手技の有効性や嚥下機能改善手術による治療前後の評価を後方視的に行った有効な知見が蓄積されている。嚥下圧検査が治療方針決定に有用であるとする確実性の高いエビデンスがある研究は多くないが，治療方針決定に対する嚥下圧検査の施行は有用である。

【弱い推奨，合意率81％（13／16）】

背景

嚥下圧検査の最大の利点として，嚥下動態の定量評価が可能であることが挙げられる。嚥下内視鏡検査と嚥下造影検査による従来の定性的評価と合わせて行うことで，これら二つの検査では得られない定量的な圧力データを取得でき，より正確な嚥下障害の病態の理解が深まり，治療方針決定に有用である。

益と害の評価

益：嚥下動態の定量評価

害：挿入時の違和感，カテーテル挿入による粘膜損傷

解説

嚥下圧検査は，嚥下時に生じる咽頭収縮力や食道入口部の弛緩状態を圧力の変化として知ることができるため，嚥下障害の病態把握に有効な検査であり，定量評価が可能であることが大きな利点である。嚥下咽頭期には，上咽頭から食道入口部までの上方から下方へ向かう協調的かつ連続的な収縮によって生じる嚥下圧により，口腔から送り込まれた咽頭腔内の食塊は，食道方向へと移送される。嚥下圧を測定することのできる高解像度マノメトリー（HRM）では，嚥下咽頭期に生じる①軟口蓋部・中下咽頭部・UES部の嚥下時最大内圧，②UESの弛緩時間，③上咽頭からUESへ向かう嚥下圧の伝播をそれぞれ視覚的，定量的に評価できる。このHRMで得られる圧力データはリアルタイムで，縦軸に前鼻孔からの距離，横軸に時間，圧力が色の変化で表現される。すなわち視覚的に把握しやすい圧トポグラフィーおよび嚥下圧原波形として表示される。実際の機器については複数の製品が使用されており，機種によって嚥下圧の絶対値が異なることに注意が必要である。

嚥下圧検査が，治療方針決定に有用であるか否かを明確に示したエビデンスレベルⅢ以上の検討はこれまでない。過去に検討されてきた中で，今後このCQの根拠となり得るポイントを以下に示す。HRMを用いることで，UES内圧の定量評価が可能である。これは嚥下造

影検査や嚥下内視鏡検査にはない大きな利点といえる。Lindénらは，嚥下障害によるUESの機能障害がある患者においては，HRMによるUESの圧測定結果の再現性が高く，個人差は少なく，UESの圧力モニタリングに適していると報告した[1)]。またUESの狭窄は，流出抵抗を低減する治療の適応となる。Szczesniakらは，HRMおよびインピーダンスで得られる咽頭食道内圧（IBP）をUES流出抵抗の指標となり得るかを検討した。頭頸部癌治療後の患者52名を対象に，内視鏡下確認した上でUESの狭窄を評価し，狭窄のあり，なしに分けて，IBPの5つの候補についてROC分析評価した。その結果ピーク圧が57mmHg以上の場合，IBPの上昇からUESの狭窄を強く予知することができると報告した[2)]。一方でPinnaらは，迷走神経麻痺患者の咽頭期嚥下障害の病態解明，特にUES機能障害の有無の検証にHRMを活用した。片側迷走神経麻痺による嚥下障害患者16名（平均年齢54歳，女性69％）を対象として，UESおよび軟口蓋・喉頭蓋部における嚥下圧を測定した。その結果，①UESの弛緩が障害されるのは少数である，②喉頭蓋の圧力は特定のパターンを示さない，③鼻咽腔閉鎖圧は半数の患者で低い，④嚥下障害はUESレベルの障害ではなく咽頭圧低下に関連している，⑤誤嚥はUESと喉頭蓋レベルで低圧，軟口蓋部で高圧な状態下で認めた。以上から，片側迷走神経麻痺患者の嚥下機能障害は，UES機能障害ではなく，咽頭運動低下によるものと結論づけた。したがって治療戦略としては，UESではなく，咽頭運動の改善を図ることが必要であるとした[3)]。以上のようにUESの定量評価は今後前向き研究の集積が進めば，嚥下造影検査，嚥下内視鏡検査にない嚥下圧に特化したメリットを活用した，嚥下機能の定量評価に寄与すると考えられる。今後は，多くのサンプルを対象に前向きにデザインした臨床研究が求められる。

参考文献

1）Lindén M, Högosta S, Norlander T. Monitoring of pharyngeal and upper esophageal sphincter activity with an arterial dilation balloon catheter. Dysphagia. 2007；22：81-88.（レベルV）
嚥下障害がありUESの機能障害がある患者においては，嚥下時の筋活動を理解するためにHRMが有用である。動脈バルーン拡張カテーテルをプローブとして使用し，UESのマノメトリー記録を行った。結果に再現性が高く，個人差は少なかった。動脈拡張バルーンカテーテルは安全であり，UESの圧力モニタリングに適している。

2）Szczesniak MM, Wu PI, Maclean J, et al. The critical importance of pharyngeal contractile forces on the validity of intrabolus pressure as a predictor of impaired pharyngo-esophageal junction compliance. Neurogastroenterol Motil. 2018；30：e13374.（レベルⅣb）
咽頭食道接合部：UESの狭窄は，流出抵抗を低減する治療の適応となることを示した論文。頭頸部癌治療後の患者52名を対象に，内視鏡下確認した上でUESの狭窄を評価し，狭窄あり，狭窄なしに分けて，IBPの5つの候補についてROC分析評価した。結果はIBPの5つの候補全てで咽頭食道接合部の狭窄を予測できた。咽頭推進力が57mmHg以上であれば，感度と特異度はともに0.9に向上した。このことより，咽頭推進力が57mmHg以上の場合，IBPの上昇はUESの狭窄を強く予知することができると考えられた。

3）Pinna BR, Herbella FAM, de Biase N, et al. High-resolution manometry evaluation of pressures at the pharyngo-upper esophageal area in patients with oropharyngeal dysphagia due to vagal paralysis. Dysphagia. 2017；32：657-662.（レベルⅣb）

迷走神経麻痺患者におけるHRM所見を明らかにすることを目的としたものである。片側迷走神経麻痺による嚥下障害患者16名を対象として，UESおよび軟口蓋・喉頭蓋部における嚥下圧を測定した。①UESの弛緩が障害されるのは少数である，②喉頭蓋の圧力は特定のパターンを示さない，③鼻咽腔閉鎖圧は半数の患者で低い，④嚥下障害はUESレベルの障害ではなく咽頭圧低下に関連している，⑤誤嚥はUESと喉頭蓋レベルで低圧，軟口蓋部で高圧で認めた。したがって，片側迷走神経麻痺患者ではUESではなく，咽頭運動が著しく損なわれていると結論づけられ，治療標的としては，UESではなく，咽頭運動の改善を図ることが必要であることが示唆された。

CQ5 義歯や口腔内装置は嚥下機能改善に有効か？

推奨

義歯や口腔内装置が嚥下機能改善に有用とするエビデンスレベルは高くない。一方で，症例報告や症例対照研究において，効果を示す報告が多い。摂食嚥下リハビリテーションにおいては，義歯や舌接触補助床（Palatal Augmentation Prosthesis：PAP）をはじめとした口腔内装置の特性を踏まえつつ，あくまでも嚥下機能を改善する可能性のある装具であることを理解したうえで，通常の機能訓練などと組み合わせて行われるとよい。

【弱い推奨，合意率88％（15／17）】

背景

頭頸部腫瘍術後や脳血管疾患，神経筋疾患などによって生じる舌の実質欠損や運動障害によって，摂食嚥下障害は引き起こされる。これに対するリハビリテーションにおける代償的アプローチとしてのPAPの有効性は1960年代から報告されている。本邦においては，日本老年歯科医学会および日本歯科補綴学会によって，『摂食嚥下障害，構音障害に対する舌接触補助床（PAP）の診療ガイドライン2020』が公開されている[1)]。

益と害の評価

益：介入成功，嚥下機能の改善，咀嚼機能の改善

害：なし

解説

義歯や口腔内装置は嚥下機能改善に有効かのCQに対して，ここでは，①歯の欠損や顎の欠損を生じた症例に対する義歯や顎補綴装置の効果と，②嚥下時の舌の機能に低下がみられた症例に対するPAPの効果とに分けて検討を加える。

①歯の欠損や顎の欠損を生じた症例に対して義歯や顎補綴装置は嚥下機能改善に有効か？

歯の欠損がみられた場合には，摂食嚥下の準備期である咀嚼機能が低下し，口腔期や咽頭期に悪影響を与えることは想像できる。適合の悪い義歯を使用している者に対して，適合する新規の義歯を製作することによって，天然歯咬合の者と変わらないレベルまで嚥下時間が短縮することが示されている[2)]。

顎の欠損がみられた場合については，上顎（口蓋）切除を受けた患者に対する顎補綴装置の効果について検討した報告がある。これによると，嚥下に要する所要時間の短縮が確認されている[3)]。また，上顎腫瘍術後の患者に対して，顎義歯装着による効果を頸部聴診法による嚥下音を分析した結果，顎欠損患者に対して，顎義歯装着を行うことにより，非

装着時より嚥下試技全体の長さ（DAS）の長さ，嚥下開始からピークまでの長さ（DPI）は短縮したと報告されている[4]。さらに，口腔癌患者の嚥下時にみられる舌の中央の陥凹時の接触時間を超音波診断装置にて測定することにより，PAPによる舌運動の代償作用が明らかにされている[5]。

②舌の機能低下を生じた摂食嚥下障害患者に対してPAPは嚥下機能改善に有効か？

回復期リハビリテーション病院に入院している患者を対象に通常の義歯に対してPAPを付与した義歯を装着した場合における嚥下動態の評価が行われ，P-Aスケールの改善，嚥下反射遅延時間の改善，咽頭通過時間の短縮が認められたという報告がある[6]。舌切除を受けた患者に対するPAPの効果に関するレビュー論文では[7]，レトロスペクティブ4編，ケースコントロール1編，ケースレポート4編の論文が検討され，対象者42名が対象となりそのうち，36名において治療は嚥下に有利であったと報告している。国内39施設における「舌挙上不全・不良」の病態を有する摂食・嚥下障害に対して，PAPの適応と有効性について検討している。摂食機能訓練実施およびPAP装着による介入群（74名）と，摂食機能訓練のみ実施した非介入群（コントロール群68名）を対象に，前向き調査にて比較検討を行った。介入群は，初診から2週間後に初回評価を行い，機能訓練とPAPの装着を開始した。PAPは，装着後2週間という短期間で，「咬断，臼磨，粉砕，混合が終了した時点から食塊移送のための嚥下反射惹起を誘導し，咽頭通過および食道入口部に至る過程」に効果を確認している[8]。

CQ

参考文献

1） 公益社団法人日本補綴歯科学会，一般社団法人日本老年歯科医学会．摂食・嚥下障害，構音障害に対する舌接触補助床（PAP）の診療ガイドライン2020.
https://minds.jcqhc.or.jp/summary/c00655/

2） Monaco A, Cattaneo R, Masci C, et al. Effect of ill-fitting dentures on the swallowing duration in patients using polygraphy. Gerodontology. 2012；29：e637-644.（レベルⅣb）
適合不良の義歯の利用者20名を対象に調査され，義歯の適合を得ることで，筋電図測定によって得られた嚥下時間が優位に減少することを示している。また，その値は，天然歯にて咬合を維持している対象者と同等になることを示している。これにより，高齢者の嚥下時間の延長の要因の一つに不適合な歯科義歯が原因である可能性を示している。

3） Matsuyama M, Tsukiyama Y, Koyano K. Objective clinical assessment of change in swallowing ability of maxillectomy patients when wearing obturator prostheses. Int J Prosthodont. 2005；18：475-479.（レベルⅣb）
38名の口蓋切除後の患者に対して，顎補綴装置を装着し嚥下機能の変化を評価した。嚥下能力は「水飲みテスト；窪田の方法」で評価した。被験者は一回で30mLの水を飲むよう指示され，嚥下に要する時間と咳反射の有無を基に評価が行われた。義歯装着により有意に嚥下時間の短縮が認められ，プロフィール，エピソードともに有意に改善を示した。

4） Kamiyanagi A, Sumita Y, Ino S, et al. Evaluation of swallowing ability using swallowing sounds in maxillectomy patients. J Oral Rehabil. 2018；45：126-131.（レベルⅣb）
27名の顎切除術患者（男性15名，女性12名，平均年齢66.0±12.1歳）および健康な対照者30名（男性14名，女性16名，平均年齢44.9±21.3歳）が対象となった。4mLの水嚥下時の嚥下音を記録し，顎補綴装置のない上顎切除術患者の方が健常対照よりも嚥下試技全体の長さ（DAS）の長さ，嚥下開始からピークまでの長さ(DPI)は，いずれも有意に長かったとしている。また，オブチュレーターを装着すると，DPIは有意に短縮することを示している。

5) Okayama H, Tamura F, Kikutani T, Kayanaka H, Katagiri H, Nishiwaki K. Effects of a palatal augmentation prosthesis on lingual function in postoperative patients with oral cancer：coronal section analysis by ultrasonography. Odontology. 2008；96：26-31.(レベルⅣa)
口腔癌の手術後の患者7名に対して，舌の機能に対するPAP装着の効果を超音波診断装置による冠状断面の観察を通じて評価している。嚥下時の舌の中央部の陥凹時の舌と口蓋の接触時間，舌の運動時間においてPAP装着により有意な減少がみられた。この変化は，PAPによる嚥下時の舌の動きの代償効果と考察されている。

6) Yoshida M, Endo Y, Nishimura R, et al. Palatal augmentation prosthesis(PAP) can improve swallowing function for the patients in rehabilitation hospital. J Prosthodont Res. 2019；63：199-201.(レベルⅣb)
回復期リハビリテーション病院に入院している患者18名を対象に，通常の義歯に対して舌接触補助床を付与した義歯を装着した場合における嚥下動態の評価を行い，PAPの効果を測定している。PAPの装着により，P-Aスケールの改善，嚥下反射遅延時間の改善，咽頭通過時間の短縮が認められたとしている

7) Marunick M, Tselios N. The efficacy of palatal augmentation prostheses for speech and swallowing in patients undergoing glossectomy：a review of the literature. J Prosthet Dent. 2004；91：67-74.(レベルⅣb)
舌切除を受けた患者に対する舌接触補助床の効果に関する文献的レビュー論文である。後方視的研究4件，症例対照研究1件，症例報告4件の論文が組み入れ基準を満たしていた。対象者42名のうち，36名において舌接触補助床は嚥下を改善していた。

8) 植田耕一郎，向井美惠，森田学，他．摂食・嚥下障害に対する舌接触補助床の有効性．日本摂食嚥下リハビリテーション学会雑誌．2012；16：32-41．(レベルⅣa)
摂食機能訓練実施およびPAP装着による介入群(74名)と，摂食機能訓練のみ実施した非介入群(コントロール群68名)を対象に，PAPの適応と有効性について前向き調査にて比較検討を行った。PAPは，装着後2週間という短期間で口腔相と咽頭相に対して有効であることが示された。

CQ6 嚥下障害患者に対する姿勢調整は誤嚥防止に有用か？

推奨

嚥下障害患者に対する姿勢調整は，経口摂取に際し，誤嚥防止や，残留の減少などが期待できる手法であり，実施可能な症例に対しては強く推奨する。
【強い推奨，合意率68％（11／16），作成委員会による議論のうえ推奨を決定した】

背景

姿勢調整は，嚥下障害に対する代償的戦略として，経験に基づき古典的に利用されてきた方法である。ベッドサイドでの姿勢調整や，嚥下造影の際に適切な姿勢を確認するなどの臨床的手法が行われてきた。しかし，その報告の多くが小数例のケースシリーズに基づくものであり，誤嚥防止（肺炎発症）に関してRCTが行われているのは頭部前屈位（chin down）のみである。システマティックレビューやナラティブレビューでは，比較的簡単に行える代償手技ではあるため臨床場面ではまず検討することが望ましいが，個々の症例での効果に関しては，嚥下造影などの画像検査に基づいて選択するようにと述べられている。近年は，健常者を対象として，姿勢の変更による変化を検討する報告が増加している。

益と害の評価

益：誤嚥防止，早期経口摂取開始，嚥下効率改善（送り込み支援・残留減少）
害：なし or 検査で確認せず効果のない姿勢を強要することの不利益

解説

身体全体の姿勢調整としては，リクライニング法と側臥位法，頭頸部の姿勢調整としては，頭部前屈位（あご引き嚥下，chin tuckまたはchin down），あご上げ，頸部回旋，頭部側傾（tilting the head）が知られている[1)]。近年，健常者ではさらに，高齢者の円背を模した姿勢slump sittingの与える生理学的影響の検討[2)]も行われている。

頭部前屈位については，1993年以降，誤嚥を軽減したというケースシリーズ報告がある[3)]。また，パーキンソン病を対象としたRCTで，肺炎予防等に関してとろみと同等の効果があった（とろみをつけなくてもあご引きをすれば肺炎の発症は同程度であった）ことが示されている[4)]。健常者のRCTでは，咽頭圧の上昇および時間の増加，上部食道括約筋の圧の低下，解剖学的位置関係の変化が報告されている[5)]。しかしながら，どのように頭部を傾けるか，その違いによっても結果が異なることが報告されている。

頸部回旋[3)]についてもケースシリーズでの報告のほか，健常者でのRCT[5)]がなされており，咽頭圧および上部食道括約筋の圧の左右差が報告されており，左右差のある症例での臨床利用を裏付けている。

側臥位法については健常者によるRCTは行われていない。近年，本邦では，完全側臥位法を重度障害症例に導入したケースシリーズ報告[6]（導入前との比較）がなされ，誤嚥を起こさず経口摂取を進める上で有効である可能性が示唆されている。

参考文献

1）Sura L, Madhavan A, Carnaby G, et al. Dysphagia in the elderly：management and nutritional considerations. Clin Interv Aging. 2012；7：287-298.（レベルⅥ）
高齢者の嚥下障害に関するレビュー。姿勢調整の種類とその期待される効果・報告された利点についてTableでわかりやすくまとめているが，その効果の証明やインパクトが弱いことについても記載されている。

2）Nakamura K, Nagami S, Kurozumi C., et.al. Efect of spinal sagittal alignment in sitting posture on swallowing function in healthy adult women：A cross sectional study. Dysphagia. 2023；38：379-388.（レベルⅣb）
健常女性を対象に，骨盤が後傾した坐位では脊椎後弯となり嚥下速度の低下，舌運動と最大発生時間の悪化をもたらすことが示された。

3）Martino R, McCulloch T. Therapeutic intervention in oropharyngeal dysphagia. Nat Rev Gastroenterol Hepatol.2016；13：665-679.（レベルⅠ，Ⅵ）
嚥下障害の治療に関するレビュー論文。姿勢調整については，あご引きはRCTsとケースシリーズで検証され，頸部回旋はケースシリーズで検証されていると紹介されている。

4）Park MS, Choi JY, Song YJ, et al. Systematic review of behavioral therapy to improve swallowing functions of patients with parkinson's Disease. Gastroenterol Nurs. 2019；42：65-78.（レベルⅠ）
パーキンソン病患者の嚥下障害に対するリハビリテーションのシステマティックレビュー。姿勢を含む複数の代償法の組み合わせでは4週間で体重増加，筋電図の変化を示し，あご引きととろみを比較したRCTでは肺炎発症率に有意差はなかった。

5）Wheeler-Hegland K, Ashford J, Frymark T, et al. Evidence-based systematic review：Oropharyngeal dysphagia behavioral treatments. Part II--impact of dysphagia treatment on normal swallow function. J Rehabil Res Dev. 2009；46：185-194.（レベルⅠ）
健常者における嚥下障害治療の影響を調査したシステマティックレビューの一部で，三つの姿勢調整（側臥位，顎引き，頭部回旋）について検討している。

6）Kudo H, Kusakabe S, Sato Y, et al. The Complete Lateral Position Method reduced the mortality rate among elderly patients with severe dysphagia. Intern Med. 2022；61：3335-3341.（レベルⅣb）
65歳以上の重症嚥下障害症例で完全側臥位法を導入した103名と，完全側臥位法導入前の重度嚥下障害症例34症例を比較した論文。

CQ7 呼吸筋訓練は嚥下機能の維持・改善に有効か？

推奨

呼吸筋訓練のうち，呼気筋訓練では嚥下造影におけるPenetration-Aspiration Score (PAS) の改善が認められたというシステマティックレビューが複数ある。さらに，呼気筋訓練を呼吸リハビリテーションと組み合わせることにより，嚥下造影検査で評価された嚥下機能が改善されたという報告が，パーキンソン病と急性脳血管障害患者であった。以上のことより，呼吸筋訓練は嚥下機能の維持・改善に対して行うことが推奨される。

【弱い推奨，合意率93% (15／16)】

背景

高齢者の肺炎は，摂食・嚥下障害が背景にあることが多く，嚥下機能低下のリスクのある高齢者を早期に見つけだし嚥下機能の維持や向上を図り，高齢者の食べる楽しみや生活機能を支えることは重要な課題である。嚥下機能に対するこれまでの訓練法は，安全に食物を摂取するための基礎的な訓練であり，嚥下機能訓練法としての呼吸筋訓練はあまり確立されていない。

益と害の評価

益：呼吸筋の機能改善

害：特になし

解説

呼吸筋訓練には吸気筋訓練，呼気筋訓練また吸気筋も呼気筋も同時に訓練するものと3通りある。近年，呼吸筋の訓練のうち呼気筋訓練（expiratory muscle strength training：EMST）が，呼吸筋力や咳嗽能力を向上させるだけではなく，嚥下機能や発声機能を向上させる効果も期待されている[1-4]。実際今回ピックアップされた7報の論文のうち，吸気筋に関するものは1報のみで[5]，結果は筋電図活動の延長という嚥下機能と直接結びつくものではなかった。他の，システマテックレビューを含む6報の研究では呼気筋訓練が行われ，それによりPenetration-Aspiration Score（PAS）の改善は認められている。さらに，呼気筋力訓練を呼吸リハビリテーションと組み合わせることにより，嚥下造影で評価された嚥下機能が改善されたという報告が，パーキンソン病[6]と急性脳血管障害患者[7]であった。

参考文献

1) Troche MS, Okun MS, Rosenbek JC, et al. Aspiration and swallowing in Parkinson disease and rehabilitation with EMST：a randomized trial. Neurology. 2010；75：1912-1919.（レベル

Ⅱ)
パーキンソン病患者における4週間の装置による呼気筋力トレーニングの嚥下安全性に対する治療成果を検証し，嚥下タイミングと舌骨変位の測定を通じて生理的メカニズムを明らかにする。ランダム化比較試験。60名の，4週間，週5日，1日20分，携帯型デバイスを使用した。嚥下機能評価は，PAスコア，嚥下タイミング，舌骨運動について，嚥下造影画像から測定した。治療前の群間差は存在しなかった。治療群は，sham群と比較してPAスコアの改善を示した。治療群では，嚥下時の下咽頭機能の改善が認められた。呼気筋力トレーニングは，パーキンソン病患者の嚥下障害に対する回復治療となる可能性がある。

2) Park JS, Oh DH, Chang MY, et al. Effects of expiratory muscle strength training on oropharyngeal dysphagia in subacute stroke patients：a randomised controlled trial. J Oral Rehabil. 2016；43：364-372.（レベルⅡ）
嚥下障害を呈する急性/亜急性期脳卒中患者に4週間のEMSTを行い，介入前後の舌骨上筋群の筋活動，誤嚥の程度，摂食状況を検討した。対象はVFにて嚥下障害を診断された脳卒中患者。Intervention（I）群（n＝14）およびControl（c）群（n＝13）の，液体5mL嚥下時の舌骨上筋群の表面筋電活動（sEMG），VFの液体2mLおよびSemisolid嚥下のPAS，摂食状態（FOIS）を介入前後で比較。I群では，介入前後でsEMGが有意に増加，VF液体嚥下のPAS，FOISが有意に改善した。C群では，VF Semisolid嚥下のPAS，FOISが有意に改善した。介入後のI群とC群との比較では，sEMGと液体嚥下PASで有意差をみとめた。

3) Brooks M, McLaughlin E, Shields N. Expiratory muscle strength training improves swallowing and respiratory outcomes in people with dysphagia：A systematic review. Int J Speech Lang Pathol. 2019；21：89-100.（レベルⅠ）
疾患は問わず運動性コミュニケーション障害（構音障害や音声障害）または嚥下障害患者におけるEMST（Expiratory Muscle Strength Training, EMST）の効果を明らかにする目的で行われたシステマティックレビュー。6つのデータベースから選択基準・除外基準を経て7本の論文（うち5本がRCT, 2本はpre-post single）が抽出。7本中3本が嚥下機能に対する効果を検証しており3本中2本がRCT。3本の論文すべてでEMSTによりPASが改善したことが報告された。他のアウトカムとしてFOIS, 舌骨上筋群のsEMS, VFでの舌骨喉頭動態などが検証されているが，研究数が少なく（各1本ずつ）エビデンスは不十分。PASの改善から，嚥下障害患者の気道の安全性改善につながることが提唱された。

4) Mancopes R, Smaoui S, Steele CM. effects of expiratory muscle strength training on videofluoroscopic measures of swallowing：A systematic review. Am J Speech Lang Pathol. 2020；29：335-356.（レベルⅠ）
嚥下障害患者に対するEMSTの効果を嚥下造影検査を用いて検証した研究について，システマティックレビューを実施した。検索された292本の文献のうち11本が取り込み基準に該当した。取り込んだ論文は，EMST150またはPhillips Thresholdを用いて，多様な疾患背景の患者にEMSTを実施していた。典型的なプロトコルは，器具を用いて呼気を5回×1日5回（1日あたり25回），週5日，4週間実施していた。運動負荷は患者に応じて50%から75%の間で設定され，通常，週に1回の臨床家による監督の下で実施していた。PASは，アウトカム指標として最もよく用いられていた。EMSTプログラムの実施後に嚥下造影検査上の指標が改善するという明確なエビデンスは得られなかった。

5) Liaw MY, Lin MC, Leong CP, et al. Electromyographic study assessing swallowing function in subacute stroke patients with respiratory muscle weakness. Medicine（Baltimore）. 2021；100：e27780.（レベルⅡ）
呼吸筋の筋力低下を呈する亜急性脳卒中患者に6週間の呼吸筋トレーニング（Respiratory muscle training：RMT）を行い，介入前後の嚥下関連筋群の筋活動を比較した。対象は一側性脳卒中患者で呼吸筋の筋力が低下した患者。RMT群（n＝11）および対照群（n＝11）の，空嚥下，水2mL嚥下，50% MEP（maximal expiratory pressure）および15% MEP負荷での努力呼気時の舌骨上筋群の筋活動を表面筋電計を用いて介入前後で計測した。RMT群では50% MEP負荷における努力呼気時の障害側の筋活動時間（ms）は，介入前後で延長した（対照群との比較では有意差なし）。

6）Byeon H. Effect of simultaneous application of postural techniques and expiratory muscle strength training on the enhancement of the swallowing function of patients with dysphagia caused by parkinson's disease. J Phys Ther Sci. 2016；28：1840-1843.（レベルⅡ）
パーキンソン病による嚥下障害患者に対する姿勢技法と呼気筋力トレーニングの同時適用の効果について検討した。対象は，姿勢技法と呼気筋力トレーニングの同時適用を受けた患者18名と呼気筋力トレーニングのみを受けた患者15名。姿勢技法は，顎を引く，頭を回す，頭を傾ける，頭を後ろに反らす，横になるの順で実施し，呼気筋力トレーニングは最大呼気圧の約70%の抵抗値で実施した。嚥下機能の回復は，VF検査に基づくfunctional dysphagia scaleを用いて評価した。VF検査で得られた両群の平均値は，治療後に減少した。姿勢技法＋呼気筋力トレーニング群では，呼気筋力トレーニングのみの群に比べ，その減少幅が有意に大きくなった。パーキンソン病による嚥下障害患者の嚥下リハビリテーションに適用する場合，姿勢技法と呼気筋力トレーニングの同時実施が，呼気筋力トレーニング単独よりも有効であることが示唆された。

7）Moon JH, Jung JH, Won YS, et al. Effects of expiratory muscle strength training on swallowing function in acute stroke patients with dysphagia. J Phys Ther Sci. 2017；29：609-612.（レベルⅡ）
嚥下障害のある急性脳血管障害患者を対象に，呼気筋力トレーニングが嚥下機能に及ぼす影響を明らかにする。嚥下障害のある脳卒中患者計18名。EMST群（n＝9）または対照群（n＝9）のいずれかに無作為に割り付けた。全員が，従来の嚥下リハビリテーション療法を週5回，30分のセッションで4週間行ったが，EMST群のみ呼気筋力トレーニングが行われた。両群とも，治療後に有意な改善を示した。対照群と比較すると，EMST群ではfunctional dysphagia scale（FDS），喉頭蓋谷残留，梨状窩残留が有意に改善された。嚥下障害のある急性脳血管障害患者の嚥下機能低下に対して，呼気筋力トレーニングは有効な介入となる。

CQ8 嚥下障害患者に対する神経筋電気刺激療法は，嚥下機能改善に有用か？

推奨

嚥下障害患者に対する嚥下機能改善に神経筋電気刺激療法（NMES）が有効であることは，複数のランダム化比較試験やシステマティックレビューで認められており，特に脳卒中後の嚥下障害への効果については確実性の高いエビデンスが示されている。しかしながら，従来行われている嚥下訓練より優れていることは示されておらず，従来の訓練と併用することで高い上乗せ効果が得られる。

【弱い推奨，合意率88％（14／16）】

背景

嚥下障害患者に対するNMESは，一般的には前頸部（舌骨周囲）に貼付した表面電極から微弱な電流を流すことで嚥下時の喉頭挙上を増強させる嚥下訓練方法であり，低周波電流が嚥下関与筋まで到達しているのか疑問の余地はあるものの，嚥下障害に対する効果に関するランダム化比較試験が数多く行われ，その有効性には確実性の高いエビデンスが示されている[1-3]。本邦でも電気刺激を行う機器が市販されており，NMESは普及しつつある。また，干渉波刺激の有効性に関する研究も行われてきている。嚥下訓練の際に，前頸部に表面電極を貼付して筋電図のモニターを患者に示しつつ訓練を強化していく表面筋電図バイオフィードバック（sEMG biofeedback）と経皮的電気刺激を組み合わせた訓練プログラムであるMcNeil Dysphagia Therapy Program（MDTP）も高い効果があると報告されている[4]。

益と害の評価

益：介入成功，嚥下訓練効果の上乗せ

害：頸部不快感，埋め込み型電子装置（心臓ペースメーカー等）との併用禁忌

解説

NMESは嚥下時に前頸部に微弱な電流を流すことで舌骨周囲の神経や筋を刺激し，喉頭挙上運動を増強する訓練方法であり，米国では多くの言語聴覚士が嚥下障害患者の嚥下訓練として実施している。嚥下障害に対する効果について行われたメタ解析では，NMESを行わない群と比較して，小さいながらも有意に嚥下機能改善が認められている[1]。

従来の嚥下訓練とNMESの嚥下障害改善への効果を比較したメタ解析では，the Swallowing Function ScaleではNMESの方が従来の訓練群よりも有意に効果が高かったが，サブグループ解析では両者の有効性は同等であったと報告されている[2]。

従来の嚥下訓練にNMESを併用した治療が，NMESを併用しない治療よりも優れているかどうかを比較したメタ解析では，NMESを伴う治療で高い有効性が認められた。一方，

NMES単独と従来の嚥下訓練との比較では有効性に有意差は認めず，NMES単独が従来の嚥下訓練より優れていることを示すエビデンスは不十分である[3)]。

頭頸部癌治療後の嚥下障害患者に対して，従来法の嚥下訓練にNMESを加えることの効果を評価したランダム化比較試験では，従来法の嚥下訓練にNMESを加えることで，より高い訓練効果が得られたという報告もあるが[5)]，放射線治療あるいは化学放射線治療後の嚥下障害患者に関しては，NMESの上乗せ効果はないという報告もある[6)]。

脳卒中急性期・亜急性期の中等度から重度の嚥下障害患者に対するNMESの効果および帰結を嚥下造影検査にて評価したランダム化比較試験では，NMESの早期適用は嚥下機能改善において従来の訓練への上乗せ効果が期待できると報告されている[7)]。

脳卒中後の嚥下障害患者に対して，エクササイズを中心とするMDTPにNMESを併用することの有効性を，MDTP＋NMES（NMES群），MDTP＋sham NMES（MDTP群），通常の嚥下訓練（UC群）に無作為に割り付けて検証した。治療後の嚥下障害の重症度と治療効果は群間で有意差があった。MDTP群はNMES群またはUC群に比べ，経口摂取量の増加，嚥下機能の改善など，有意な改善を示した。MDTP群は「脳卒中前の食事に戻る」までの時間において最大の効果があった。脳卒中後の嚥下障害患者への嚥下訓練ではMDTP単独の治療が最も有効であった[4)]。

参考文献

1) Carnaby-Mann GD, Crary MA. Examining the evidence on neuromusucular electrical stimulation for swallowing：a meta-analysis. Arch Otolaryngol head and neck surgery. 2007；133：564-571.（レベルⅠ）
NMESの嚥下リハビリテーションに対する効果を評価することを目的としたメタアナリシス。複数のデータベースから検索し，81の文献を抽出し，7つが解析用に該当した。255名の患者が対象となり，103名がNMEW群，76名が対照群として比較され，76名が治療前・後に嚥下訓練効果を比較した。その結果，NMESを行わない群と比較して小差ながらも有意に嚥下機能改善が認められた。

2) Tan C, Liu Y, Li W, et al. Transcutaneous neuromuscular electrical stimulation can improve swallowing function in patients with dysphagia caused by non-stroke diseases：a meta-analysis. Journal of oral rehabilitation. 2013；40：472-480.（レベルⅠ）
嚥下訓練における，NMESと従来の治療法（TT）の2つの治療プロトコールを比較したメタアナリシス。Medline，CochraneおよびEMBASEデータベース検索により両者を比較した研究論文を抽出し，両群におけるthe Swallowing Function Scaleを比較した。さらに脳卒中か否かによる病因別のサブグループ解析で有効性を比較した。その結果2件のランダム化比較試験，1件の多施設ランダム化比較試験，4件の臨床対照試験が該当した。the Swallowing Function ScaleはNMESの方がTTよりも有意に高かった。サブグループ解析ではNMESとTTとでは有効性は同等であった。

3) Chen YW, Chang KH, Chen HC, et.al. The effects of surface neuromuscular electrical stimulation on post-stroke dysphagia：a systematic review and meta-analysis. Clinical rehabilitation. 2016；30：24-45.（レベルⅠ）
神経筋電気刺激を併用した嚥下治療が，神経筋電気刺激を併用しない嚥下治療よりも優れているかどうか，また，神経筋電気刺激単独が嚥下治療よりも優れているかどうかを評価するメタアナリシス。脳卒中後の嚥下障害の治療に神経筋電気刺激を用いたランダム化および準ランダム化対照試験をPubMedおよびScopusのデータベースをその最も古い記録から2014年12月31日まで検索し，1826の文献から9つを抽出し，329名の患者が対象となった。神経筋電気刺激を伴うvs神経筋電気刺激を伴わない嚥下治療の比較では，神経筋電気刺激を伴う治療の方に有効性の有意差が認められた。一方，神経筋電気刺激単独と嚥下訓練との比較では有効性に有意差は認めなかった。神経筋電気刺激単独が嚥下訓練より優れていることを示すエビデンスは不十分であった。

4) Carnaby GD, LaGorio L, Silliman S, et al. Exercised-based swallowing intervention (McNeil Dysphagia therapy) with adjunctive NMES to treat dysphagia post-stroke：a double-blind placebo-controlled trial. Journal of oral rehabilitation. 2020；47：501-510.（レベルⅡ）
MDTPは，表面筋電図バイオフィードバックと経皮的電気刺激を組み合わせた訓練プログラムである。前頸部正中に4つの表面電極（舌骨の上と下，輪状軟骨の上と下）を貼付し，舌骨上筋群に微弱な電流を流すことによって喉頭挙上を増強させる。さらに，表面筋電図をモニター画面に示して筋活動を患者に意識させ，努力嚥下を行わせていく訓練方法である。脳卒中後の嚥下障害患者に対して，エクササイズを中心とするこのMDTPにNMESを併用することの有効性を，MDTP＋NMES（NMES群），MDTP＋sham NMES（MDTP群），通常の嚥下訓練（UC群）に無作為に割り付けて検証した。治療後の嚥下障害の重症度と治療効果は群間で有意差があった。MDTP群はNMES群またはUC群に比べ，経口摂取量の増加，脳卒中後3カ月までの機能的転帰の改善など，より大きな肯定的変化を示した。MDTP群は「脳卒中前の食事に戻る」までの時間において最大の効果があった。NMES併用はMDTPへの上乗せ効果がない可能性がある。

5) Ryu JS, Kang JY, Park JY, et al. The effect of electrical stimulation therapy on dysphagia following treatment for head and neck cancer. Oral oncology. 2009；45：665-668.（レベルⅡ）
頭頸部癌治療後の嚥下障害患者におけるNMESの効果を評価したランダム化比較試験。患者をNMES30分と従来の嚥下訓練30分を行う体験群と，偽刺激＋従来の嚥下訓練の対照群に無作為に割り付け，clinical dysphagia scale（CDS），functional dysphagia scale（FDS），the American speech-language-hearing association national outcome measurement system（ASHA NOMS），M.D.アンダーソン嚥下評価（MADI）を比較した。FDSスコアは，体験群の方が対照群よりも改善したが，CDS，ASHA NOMS，MADIは，治療により若干の違いを示したが，有意な変化ではなかった。頭頸部癌治療後の嚥下障害に対して，従来法の嚥下訓練にNMESを加えることで，より高い訓練効果が得られた。

6) Langmore SE, McCulloch TM, Krisciunas GP, et al. Efficacy of electrical stimulation and exercise for dysphagia in patients with head and neck cancer：a randomized clinical trial. Head and Neck. 2016；38：E1221-E1231.（レベルⅡ）
頭頸部癌治療後の嚥下障害に対する神経筋電気刺激療法の効果に関する報告はあるものの，いずれもサンプルサイズが小さいものである。本研究では頭頸部癌に対して放射線治療あるいは化学放射線治療を行った後の嚥下障害患者に対して，従来の嚥下訓練にNMESを加えることの上乗せ効果の有無についてランダム化比較試験を行った。頭頸部癌患者で50Gy以上のRTあるいはCRTを行い3カ月以上経過し，cancer freeであり，VFで中等度以上の嚥下障害を認めた168例を対象に訓練を12週間行い，効果判定はVFで確認した。従来の嚥下訓練とNMESを行ったNMES群は116例，従来の嚥下訓練とSham電気刺激を行ったSham群は52例である。VFのPenetration-aspiration scaleはNMES群の方が悪かった。放射線治療あるいは化学放射線治療後の嚥下障害患者に対しては，従来の嚥下訓練にNMESを加えることの上乗せ効果は認めなかった。残念ながら従来の嚥下訓練自体も奏効していなかった。

7) Lee KW, Kim SB, Lee JH, et al. The effect of early neuromuscular electrical stimulation therapy in acute/subacute ischemic stroke patients with dysphagia. Annals of rehabilitation medicine. 2014；38：153-159.（レベルⅡ）

脳卒中急性期・亜急性期の中等度から重度の嚥下障害患者に対するNMESの効果および帰結をVF評価を用いてランダム化比較試験にて検討した。脳卒中発症10日以内の患者をVFに登録し，NMESと従来の嚥下訓練（TDT）を併用したNMES/TDT群，TDTのみを受けたTDT群に無作為に割り付けた。NMESは，耐えられる最大強度の電気刺激を両舌骨上筋に30分間，5日/週，3週間実施した。介入前および3，6，12週後にVFによる嚥下機能評価を実施しFunctional Oral Intake Scale（FOIS）を用いて評価した。両群とも治療後，FOISの有意な改善を示した。介入前から3週後と6週後は，NMES/TDT群でTDT群よりも有意に改善をみとめた。脳卒中急性期・亜急性期の嚥下障害患者においてNMESの早期適用は，嚥下機能改善において従来の訓練への上乗せ効果が期待できる。

CQ9 嚥下障害患者に対する嚥下機能改善手術は嚥下機能改善に有用か？

推奨

嚥下障害患者に対する嚥下機能改善手術は，障害の病態にあった術式が選択されると嚥下動態を改善させることができる。輪状咽頭筋切断術については，重度の嚥下障害が上部食道括約筋（UES）の機能障害に関連している場合に提案する。喉頭挙上術については喉頭挙上制限や咽頭期惹起遅延に対して提案される。

【弱い推奨，合意率93%（15／16）】

背景

重症嚥下障害患者に対してしばしば外科治療が行われる。代表的な術式として輪状咽頭筋切断術，喉頭挙上術，喉頭形成術などがあり，病態に応じて選択される。輪状咽頭筋切断術は，上部食道括約機構の機能不全あるいは中咽頭における嚥下圧が低下している場合に，食道入口部の圧を低下させることで咽頭通過を改善させる術式である。外切開法に加えて経口的手術が開発され，またボツリヌス注射も行われることがある（ただし，本邦では保険適用なし）。喉頭挙上術は咽頭期嚥下における喉頭挙上が不足するか遅れる場合に検討される。有効であった報告が多くあるが，益と害の評価および標準化された比較検討が十分にはされてこなかった。

益と害の評価

輪状咽頭筋切断術

益：食道入口部の開大が得られることで咽頭残留を軽減し，誤嚥を減少させる。

害：術後合併症（咽頭瘻孔形成，喉頭浮腫，縦隔炎，反回神経麻痺），咽喉頭酸逆流

喉頭挙上術

益：挙上期誤嚥が減少し，有効な食道入口部開大も得られる。

害：術後合併症（喉頭浮腫や局所感染など）

解説

嚥下機能改善手術の中で輪状咽頭筋切断術について，2つのシステマティックレビュー[1,2]では，いずれも根拠としては後方視的な観察研究を基にしているが，有効性が示されている。輪状咽頭筋切断術は重度の嚥下障害が上部食道括約筋（UES）の機能障害に関連している場合に検討される。すなわち封入体筋炎，眼咽頭型筋ジストロフィー，多発性硬化症，脳卒中，およびパーキンソン病の患者で有効であり，Zenker憩室[3]，頭頸部癌治療後嚥下障害[4,5]に対しても有効性が報告されている。輪状咽頭筋切断術は外切開に加えて内視鏡下輪

状咽頭筋切断術[2,6]が開発された。これは外切開に比べて手技が簡便で侵襲が少なく，安全で有効な治療法である[7]。さらに低侵襲な方法としてはボツリヌス毒素[8,9]の内視鏡または経皮的注射も報告されている。German Society of Neurologyのガイドライン[10]では，上部食道括約筋機能障害に対して輪状咽頭筋切断術が推奨されるが合併症が時に重症化することから，病態診断と適切な外科治療が行える専門施設での施行が求められている。

喉頭挙上術については有効性を述べる論文は見られるが，系統的な前向き試験はなく，後方視的研究にとどまる。輪状咽頭筋切断術と同時に，咽頭期において喉頭が十分に挙上できない，より重症例に対して行われることが多い[11,12]。脳梗塞後[13]，口腔・中咽頭癌の拡大切除再建術後[5,12]に用いられる。

参考文献

1) Knigge MA, Thibeault SL. Swallowing outcomes after cricopharyngeal myotomy：A systematic review. Head Neck. 2018；40：203-212.（レベルⅢ）
輪状咽頭筋切断術に関するシステマティックレビューである。PenetrationAspirationScale，嚥下圧測定，患者評価による嚥下障害スケール，臨床医評価による嚥下障害スケール，食事レベル，および体重をエンドポイントに，合計122件から10件の研究が選定されたが，臨床実践の指針となる証拠が不十分であった。

2) Gilheaney Ó, Kerr P, Béchet S, et al. Effectiveness of endoscopic cricopharyngeal myotomy in adults with neurological disease：systematic review. J Laryngol Otol. 2016；130：1077-1085.（レベルⅢ）
内視鏡的輪状咽頭筋切断術の有効性についてのシステマティックレビューである。2,938編のなかから2編が的確とされたが，内視鏡的輪状咽頭筋切断術の効果に関する決定的な結論は出せなかった。適応決定や術後管理の標準化や圧測定やQOLなどのアウトカムについての検討を要するとしている。

3) Muñoz AA, Shapiro J, Cuddy LD, et al. Videofluoroscopic findings in dysphagic patients with cricopharyngeal dysfunction：before and after open cricopharyngeal myotomy. Ann Otol Rhinol Laryngol. 2007；116：49-56.（レベルⅣb）
輪状咽頭筋切断術について，Zenker憩室36例と憩室のない輪状咽頭筋機能不全14例における効果の差を検討した。Zenker憩室において有効性が高いが，憩室のない症例では結果にばらつきがみられた。

4) Baijens LWJ, Walshe M, Aaltonen LM, et al. European white paper：oropharyngeal dysphagia in head and neck cancer. Eur Arch Otorhinolaryngol. 2021；278：577-616.（レベルⅢ）
頭頸部癌治療全般にわたる嚥下障害に関するWhite paperである。その中で術後嚥下障害に対する輪状咽頭筋切断術について経口的切除の有効性が述べられ，外切開手術は開口制限や頸部進展が難しい症例に対して勧められている。ただし，病態については詳細な記述はない。一方，喉頭挙上術についてはいまだ十分な検証がされていないと述べられている。

5) Fujimoto Y, Hasegawa Y, Yamada H, et al. Swallowing function following extensive resection of oral or oropharyngeal cancer with laryngeal suspension and cricopharyngeal myotomy. BBLaryngoscope. 2007；117：1343-1348.（レベルⅣb）
口腔・咽頭癌の拡大切除を施行した62症例に対して喉頭挙上術と輪状咽頭筋切断術を同時に施行し，52例で経口のみでの栄養摂取が可能になった。加齢の影響があり，若年層で経口摂取獲得率が有意に高かった。

6) Lawson G, Remacle M. Endoscopic cricopharyngeal myotomy：indications and technique. Curr Opin Otolaryngol Head Neck Surg. 2006；14：437-441.（レベルⅢ）

著者らが独自の判断で文献を選択したレビューである。内視鏡下輪状咽頭筋切断術と外切開の輪状咽頭筋切断術を比較している。内視鏡下手術は手技が簡便で侵襲が少なく，安全で有効な治療法であるが，適切な患者選択が重要である。外切開の輪状咽頭筋切断術は内視鏡アプローチが不可能な症例に対する代替え治療である，と結論付けている。

7) Dauer E, Salassa J, Iuga L, et al. Endoscopic laser vs open approach for cricopharyngeal myotomy. Otolaryngol Head Neck Surg. 2006；134：830-835.（レベルⅣb）
輪状咽頭筋切断術を内視鏡下にレーザーを併用して行った患者（laser group；n＝14）と頸部外切開で行った患者（open group：n＝8）で術前術後のFunctional Outcome Swallowing Scale（FOSS）や嚥下圧，合併症について比較した後ろ向き研究である。入院期間や手術時間，麻酔時間がlaser groupでは短いことが示されている。術後合併症についてはlaser group（3/14症例）は全て自然軽快する軽度なものであったのに対して，open group（3/8症例）では2症例で気管切開や人工呼吸器管理が必要となり咽頭瘻孔を形成した症例も1症例認め，重度な合併症が生じていることが示されていた（1症例は自然軽快した軽度なものだった）。手術前後のFOSSの変化量は両群で差は認められず，内視鏡下にレーザーを併用して行う輪状咽頭筋切断術は安全で有効性も外切開に劣らない術式であると結論付けている。

8) Zaninotto G, Marchese Ragona R, Briani C, et al. The role of botulinum toxin injection and upper esophageal sphincter myotomy in treating oropharyngeal dysphagia. J Gastrointest Surg. 2004；8：997-1006.（レベルⅣb）
ボツリヌス注射の有効性を示しているが重症例では限界があり，重症例では外切開による輪状咽頭筋切断術を検討すべきとしている。

9) Kocdor P, Siegel ER, Tulunay-Ugur OE. Cricopharyngeal dysfunction：a systematic review comparing outcomes of dilatation, botulinum toxin injection, and myotomy. The Laryngoscope. 2016；126：135-141.（レベルⅢ）
輪状咽頭筋切断術とバルーン拡張，ボツリヌス注射の効果と有害事象について比較したシステマティックレビューである。輪状咽頭筋切断術は高い有効性を示すが時に瘻孔，上喉頭浮腫，縦隔炎，後咽頭血腫，食道損傷，喉頭痙攣などの重症合併症が見られることを述べている。

10) Dziewas R, Allescher HD, Aroyo I, et al. Diagnosis and treatment of neurogenic dysphagia - S1 guideline of the German Society of Neurology. Neurol Res Pract. 2021；3：23.（レベルⅢ）
ドイツ神経学会作成の嚥下障害の診療ガイドライン。

11) Kos MP, David EF, Aalders IJ, et al. Long-term results of laryngeal suspension and upper esophageal sphincter myotomy as treatment for life-threatening aspiration. Ann Otol Rhinol Laryngol. 2008；117：574-580.（レベルⅣb）
重度誤嚥を伴う嚥下障害患者に対して喉頭挙上術と輪状咽頭筋切断術を行い，長期成績において53％（9例/17例中）で経口のみの栄養摂取が可能になったことを報告している。

12) Ito H, Nagao A, Maeda S, et al. Clinical Significance of Surgical Intervention to Restore Swallowing Function for Sustained Severe Dysphagia. J Clin Med. 2023；12：5555.（レベルⅣb）
輪状咽頭筋切断術だけでなく，喉頭挙上術や声帯内方移動術も含めた手術効果について，Food Intake Level Scale（FILS）と嚥下内視鏡検査スコアにより評価している。

13) Shibata S, Kagaya H, Ozeki Y, et al. Effect of laryngeal suspension and upper esophageal sphincter myotomy for severe dysphagia due to brainstem disease. Ann Otol Rhinol Laryngol. 2020；129：689-694.（レベルⅣb）
14例の脳幹梗塞後の患者に対して喉頭挙上術および輪状咽頭筋切断術を施行。経口摂取状況を全例で改善させたが，経過中に13例が肺炎罹患を伴った。

CQ10 サルコペニアの嚥下障害において栄養管理は嚥下機能の改善に有効か？

推奨

サルコペニアの嚥下障害は全身の筋肉と嚥下関連筋の筋肉量ならびに筋力低下に起因する。サルコペニアの嚥下障害では，身体・高次脳機能の状況により嚥下訓練が困難な場合，栄養管理をしても嚥下機能が改善しないことがある。一方で嚥下訓練が可能な場合には，嚥下関連筋の訓練を含むリハビリテーションと栄養管理の両者を実施することが，嚥下機能の改善に有用である。

【弱い推奨，合意率76％（12／17），作成委員会による議論のうえ推奨を決定した】

背景

サルコペニアは，主に加齢によって起こる全身性の筋肉量減少，筋力低下，身体機能低下を指す。そして，それに関連する嚥下関連筋群の筋力低下に低栄養，侵襲，廃用が加わることにより摂食嚥下障害が生じる。近年，社会の超高齢化に伴いサルコペニアの摂食嚥下障害が注目されている。サルコペニアの嚥下障害への対応では，嚥下関連筋を含む骨格筋萎縮と低栄養という側面を考慮する必要がある。

益と害の評価

益：低栄養の改善，体重増加※，ADLの改善※，嚥下機能の改善※

※リハビリテーションと栄養管理が共に実施された場合

害：なし

解説

サルコペニアの摂食嚥下障害

Asian Working Group for Sarcopenia（AWGS）は2019年の報告において，サルコペニアを「加齢に伴う筋肉量の減少，および/または筋力の低下，身体能力の低下」と定義している[1)]。

サルコペニアを伴う患者のなかには，他の疾病の誘因なく摂食嚥下障害を呈することがあり，2013年に開催された日本摂食嚥下リハビリテーション学会において“サルコペニアの摂食嚥下障害”が次のように定義された。

①全身の筋肉と嚥下関連筋の両者にサルコペニアを認めることで生じる摂食嚥下障害とする。

②全身のサルコペニアを認めないものは除外する。

③脳卒中など明らかな摂食嚥下障害の原因疾患が存在し，その疾患による摂食嚥下障害と考

えられる場合は除外する。

これを元に2017年にはサルコペニアの摂食嚥下障害診断フローチャートが発表されている[2)]。

嚥下関連筋群ならびに全身の筋肉量の低下が摂食嚥下障害と関連することが多くの観察研究により示されている[3)]。また，サルコペニアによる摂食嚥下障害のリスク因子は，骨格筋量減少，BMI低値，Barthel Index低値であることが報告されており[4)]，低栄養やADL要介助の状態をリハビリテーションや栄養管理で改善することがサルコペニアの摂食嚥下障害の予防に重要である。

サルコペニアの嚥下障害に対する治療

低栄養，ADL自立度低下，重度摂食嚥下障害，全身のサルコペニアを伴う高齢者に対して，摂食嚥下リハビリテーションと栄養管理を行うことにより，体重増加，ADL改善とともに摂食嚥下機能が改善した症例が3編報告されている[3)]。さらに嚥下関連筋の訓練を実施した介入研究において，摂食嚥下障害の原因がサルコペニアの場合，他疾患による原因による場合に比べて，栄養状態がよい場合に摂食嚥下障害が改善しやすかったことが報告されている[5)]。サルコペニアによる摂食嚥下障害の治療には，嚥下関連筋の訓練を含む摂食嚥下リハビリテーションと栄養改善の両者が必要である。

参考文献

1) Chen LK, Woo J, Assantachai P, Auyeung TW, et al. Asian working group for sarcopenia：2019 consensus update on sarcopenia diagnosis and treatment. J Am Med Dir Assoc. 2020；21：300-307.e2.
アジア人に関するサルコペニアの定義と基準値を示した総説である。サルコペニアと判断される筋肉量の基準値をデュアルエネルギーX線吸収測定法により男性で7.0kg/m² 未満，女性で5.4kg/m² 未満，生体インピーダンス法により男性で7.0kg/m² 未満，女性で5.7kg/m² 未満と示している。また握力の低下は，男性で28kg未満，女性で18kg未満と定めている。身体能力の低下の基準は，6mの歩行の速度が1.0m/s未満，または5回の椅子立ちテストが12秒以上，等と示している。

2) Mori T, Fujishima I, Wakabayashi H, et al. Development and reliability of a diagnostic algorithm for sarcopenic dysphagia. Dysphagia. 2021；36：523-531.（レベルⅣb）
サルコペニアの嚥下障害の診断と治療に関する総説である。診断法として，信頼性が高く検証済みの診断アルゴリズムが最も広く用いられている。治療については，症例報告のみが報告されており。集学的リハビリテーション栄養学がサルコペニアの嚥下障害患者の治療に役立つ可能性が示唆されている。

3) Fujishima I, Fujii-Kurachi M, Arai H, Hyodo M, Kagaya H, Maeda K, Mori T, Nishioka S, Oshima F, Ogawa S, Ueda K, Umezaki T, Wakabayashi H, Yamawaki M, Yoshimura Y. Sarcopenia and dysphagia：Position paper by four professional organizations. Geriatr Gerontol Int. 2019；19：91-97.（レベルⅥ）
サルコペニアと嚥下障害に関する総説で，この領域のエビデンスを集約することを目的に関連する4学会（日本摂食嚥下リハビリテーション学会，日本リハビリテーション栄養学会，日本サルコペニア・フレイル学会，日本嚥下医学会）が共同で執筆している。この総説においてサルコペニアの嚥下障害は全身の骨格筋と嚥下筋のサルコペニアによって引き起こされる嚥下障害と定義されている。また，同じ横紋筋でも嚥下筋と骨格筋とは特徴が異なること，嚥下筋は栄養失調や廃用の影響を受けること，栄養失調が嚥下筋に及ぼす影響について示されている。

4) Maeda K, Takaki M, Akagi J. Decreased skeletal muscle mass and risk factors of sarcopenic dysphagia：A prospective observational cohort study. J Gerontol A Biol Sci Med Sci. 2017；72：1290-1294.（レベルⅣb）
65歳以上の入院患者95名を対象とした前向き観察研究で，骨格筋指数，日常生活動作の評価指標であるBarthel Index，BMI（Body Mass Index）が多変量解析における嚥下障害の独立した予測因子であることを示している。

5) Wakabayashi H, Matsushima M, Momosaki R, et al. The effects of resistance training of swallowing muscles on dysphagia in older people：a cluster, randomized, controlled trial. Nutrition. 2018；48：111-116.（レベルⅡ）
嚥下障害を有する地域在住の高齢者114名を対象に舌，頸部の嚥下筋のレジスタンストレーニングの効果を検討し，トレーニングの要素独立では有意な改善はなく，よりよい栄養状態が嚥下機能の改善に必要なことを示した。

CQ11 脳卒中急性期患者に対する嚥下訓練は，嚥下機能の改善に有効か？

推奨

脳卒中急性期患者に対する嚥下訓練によってFunctional Oral Intake Scale（FOIS）の向上，誤嚥の軽減，嚥下造影検査（VF）所見の改善，個別機能の向上が示されている。また，在院日数や肺炎発症率を減少させることが確認されており，嚥下訓練の実施が推奨される。
【強い推奨，合意率81％（13／16）】

背景

脳卒中急性期では嚥下障害を呈する患者が多く，評価をしたうえで必要に応じて安全に食べる訓練を行う。食品物性，食べ方や摂食姿勢の調整をして患者に適した摂食嚥下方法を決定する。少しずつ難易度を高めながら摂食を継続し，安全に摂食できる食物を増やす。また，感覚閾値や嚥下器官の運動性の改善など目的を明確にした訓練を行う。

益と害の評価

益：誤嚥の減少，経口摂取の向上
害：訓練に伴う肺炎発症

解説

脳卒中急性期は一般的に発症後2週間を指す。この時期は救命と同時に様々な医学的治療が行われる。その後の時期は亜急性期に分類される。『脳卒中治療ガイドライン2021〔改訂2023〕』では，急性期と亜急性期を分割して治療や対処が記載されている[1]。

脳卒中に起因する嚥下障害は急性期から生じるが，嚥下訓練については脳卒中の病態や重症度により開始時期が異なる。したがって，本ガイドラインにおいては，より臨床に即した嚥下訓練の有効性を検討することを重視する観点から，「脳卒中急性期」と「脳卒中亜急性期」とを合わせて「脳卒中急性期」と呼称する。

嚥下障害に対する訓練は，急性期からの介入で機能が改善することが確認されている[2-6]。したがって，脳卒中急性期患者に対する種々の行為では，嚥下訓練が実施すべき対処の13項目の1つとして選定されている[4]。さらに，脳卒中急性期に嚥下訓練を行うことによって在院日数や肺炎発症率を減少させることも確認されている[7]。脳卒中急性期患者に対する嚥下訓練はこれまで，評価や検査を行った結果で必要性や適応が検討され，舌骨運動を強化する訓練[2]，表面筋電図バイオフィードバックを用い嚥下努力を促す訓練[3]，口腔運動の向上[5]，安全な食物摂取[6]が報告されている。近年では，大脳への磁気刺激や電気刺激，咽頭や頸部への電気刺激，システム化された口腔運動訓練による嚥下機能改善の報告が増加している[8,9]。

脳卒中急性期は，病巣，重症度，合併症等により病態や全身状態が異なる。脳卒中急性期に対する嚥下訓練は嚥下機能改善に有効であるものの，意識レベルや全身状態などを多角的に考慮し，呼吸器合併症の予防に留意して訓練を実施する必要がある。

参考文献

1) 日本脳卒中学会脳卒中ガイドライン委員会．脳卒中治療ガイドライン2021〔改訂2023〕．協和企画，2023.
2) El-Tamawy MS, Darwish MH, El-Azizi HS, et al. The influence of physical therapy on oropharyngeal dysphagia in acute stroke patients. Egyptian journal of neurology, psychiatry and neurosurgery. 2015；52：201-205.（レベルⅡ）
脳卒中急性期患者を2群に分けて介入効果を検討したランダム化比較試験（RCT）。舌骨喉頭挙上に関わる筋力強化訓練を週3回6週間実施した介入群では，治療後に口腔通過時間，喉頭挙上，舌骨挙上，食道入口部の開大，誤嚥または喉頭侵入がVFで有意に改善した。
3) Benfield JK, Hedstrom A, Everton LF, et al. Randomized controlled feasibility trial of swallow strength and skill training with surface electromyographic biofeedback in acute stroke patients with dysphagia. J Oral Rehabil. 2023；50：440-451.（レベルⅡ）
嚥下障害を伴う脳卒中急性期患者に対して，通常の介入と表面筋電図バイオフィードバックを用いた訓練の2群にランダムに振り分け実施した。表面筋電図バイオフィードバック群で2週間後の嚥下障害重症度評価スケールで有意に改善した。
4) Luker JA, Wall K, Bernhardt J, et al. Measuring the quality of dysphagia management practices following stroke：a systematic review. Int J Stroke. 2010；5；466-476.（レベルⅠ）
脳卒中急性期で嚥下障害を有する患者の管理に関するプロセスを特定するためのシステマティックレビュー。18歳以上で脳卒中急性期に行うべき13の行為（嚥下訓練を含む）が特定された。
5) Hägglund P, Hägg M, Levring Jäghagen E, et al. Oral neuromuscular training in patients with dysphagia after stroke：a prospective, randomized, open-label study with blinded evaluators. BMC Neurology. 2020；20：405.（レベルⅡ）
脳卒中急性期患者を口腔神経筋トレーニング群と対照群に分けて治療介入を検討した2施設前向き非盲検RCT。口腔神経筋トレーニング群で水嚥下テスト，口唇閉鎖力，嚥下造影検査（VF）所見で有意な改善を示した。
6) Huang KL, Liu TY, Huang YC, et al. Functional outcome in acute stroke patients with oropharyngeal dysphagia after swallowing therapy. Journal of Stroke and Cerebrovascular Diseases. 2014；23：2547-2553.（レベルⅠ）
嚥下障害のある急性期脳卒中患者を無作為に，従来の嚥下療法（TS），電気刺激（NMES），NMES/TS併用療法の3群に分割し実施した。TS療法と併用療法は，いずれも治療後に有意な嚥下改善を示した。
7) Bath PM, Lee HS, Everton LF. Swallowing therapy for dysphagia in acute and subacute stroke. Cochrane Database Syst Rev. 2018；10：CD000323.（レベルⅠ）
脳卒中発症後6カ月以内に嚥下障害を有する患者に対して嚥下訓練と帰結を検討したレビュー。合計41論文2660名について検討した。嚥下訓練によって，入院期間の減少，肺炎罹患率の低下，嚥下機能の改善を確認した。
8) Cheng I, Sasegbon A, Hamdy S. Effects of neurostimulation on poststroke dysphagia：A synthesis of current evidence from randomized controlled trials. Neuromodulation. 2021；24：1388-1401.（レベルⅠ）

脳卒中後の嚥下障害患者に対するrepetitive transcranial magnetic stimulation（rTMS），transcranial direct current stimulation（tDCS） and pharyngeal electrical stimulation（PES）などの神経刺激療法の効果を評価したシステマティックレビュー。26件のRCTから852 名の脳卒中患者が解析され，積極的な神経刺激療法は，対照治療に比して有意な効果量を示した。効果量はrTMSが最も大きく，PES，tDCSと続いた。

9） Lin Q, Lin SF, Ke XH, et al. A systematic review and meta-analysis on the effectiveness of transcranial direct current stimulation on swallowing function of poststroke patients. Am J Phys Med Rehabil. 2022；101：446-453.（レベルⅠ）
急性期を含めた脳卒中後嚥下障害に対するtDCSの効果を評価したシステマティックレビュー。10件のRCT，343名の患者のメタ解析により，tDCSの嚥下機能に対する有意な効果量が示された。非病側大脳半球への陽極刺激が，より効果量が大きかった。

CQ12 嚥下障害患者に対する胃瘻造設術は誤嚥性肺炎の発症の予防に有効か？

推奨

嚥下障害による栄養障害が懸念される場合，栄養管理の観点からは胃瘻造設術は有用な栄養投与経路の一つであり，経鼻胃管よりもQOLの改善が得られる。一方，胃瘻による栄養投与が経鼻胃管および未施行群との比較で誤嚥性肺炎を有意に予防するというエビデンスはない。したがって，本ガイドラインでは，誤嚥性肺炎の予防を目的としたPEGに関する推奨は提示しない。
【推奨は提示せず】

背景

胃瘻造設術は必要な栄養を自発的に経口摂取できず，かつ6週間以上の人工的水分・栄養補給が必要となる場合に適応となる。本邦の『経皮内視鏡的胃瘻造設術ガイドライン』[1]によれば，摂食・嚥下障害や，繰り返す誤嚥性肺炎，炎症性腸疾患，減圧治療が経皮内視鏡的胃瘻造設術（percutaneous endoscopic gastrostomy：PEG）の適応とされている。一方，日本老年医学会の「高齢者ケアの意思決定プロセスに関するガイドライン　人工的水分・栄養補給の導入を中心として」では，PEGも含めて人工的な水分・栄養補給法（artificial hydration and nutrition：AHN）導入の意志決定には，「経口摂取の可能性を適切に評価し，AHN導入の必要性を確認する」「AHN導入に関する諸選択肢（導入しないことも含む）を，本人の人生にとっての益と害という観点で評価する」，「目的を明確にしつつ，最善のものを見出す本人の人生にとっての最善を達成するという観点で，家族の事情や生活環境についても配慮する」ことへの配慮を求めている[2]。また，「成人肺炎診療ガイドライン2017」では，誤嚥性肺炎を繰り返すリスクがある場合や疾患末期や老衰の状態である場合は，患者本人や家族とよく相談した上で，個人の意志やQOLを尊重した患者中心の治療，ケアを行う」と提示している[3]。胃瘻造設術により誤嚥性肺炎が予防できるかは，患者が胃瘻造設術を選択する際の1つの判断要因となる。

益と害の評価

益：QOLの改善，栄養の改善，アドヒアランス
害：外科的侵襲，合併症，管理の負担

解説

胃瘻造設術の誤嚥性肺炎発症の予防効果に関しては，2つのメタアナリシス，システマティックレビューと1つのランダム化比較試験が存在する。基礎疾患を問わず成人の嚥下障害患者を対象としたメタアナリシスでは[4]，胃瘻は経鼻胃管と比較して介入失敗の確率が有

意に低く，効果的で安全である可能性が示唆されたが，両群間の死亡率や，誤嚥に関連した肺炎などの有害事象に有意差はなかった。栄養状態に関しては，胃瘻群のほうが経鼻胃管よりも良好であり，QOLの指標も胃瘻の方が有意によかった。

認知症による嚥下障害患者対象とした胃瘻造設術施行群と未施行群を比較したシステマティックレビュー[5]では，10件の研究を解析対象としているが，胃瘻造設術施行群において長期生存率が改善したことを示唆する決定的な証拠を示したものはなかった。このうち，2件の研究において，80歳以上の認知症患者で胃瘻造設術を行った場合，生存期間中央値が悪化することが示された。また，肺炎の診断で入院した症例のうち胃瘻造設術施行後の経過を追えた57症例を対象とした後ろ向き研究[6]では，最低1年以上の経過観察を行った結果，胃瘻を造設しても57症例中51症例が死亡し，うち肺炎で死亡した症例が45症例に及び，認知機能障害とADL低下を有する高度要介護高齢者においては胃瘻造設術によるADLの向上や肺炎予防効果は期待できない，と結論づけている。

一方，急性期脳梗塞を発症した160症例を対象にランダムに2群に割り当て，経鼻経管栄養を施行した群と経皮的透視下胃瘻造設術群での介入後の栄養状態や合併症，QOLの変化について解析したランダム化比較試験[7]では，両群ともに栄養状態の改善に寄与できたが，2群間に有意差はなかった。胃瘻造設術群では，経鼻十二指腸管群と比べて誤嚥性肺炎の発生頻度が高かった一方で，経管栄養のアドヒアランスやQOLの観点からは，胃瘻造設術群の方が経鼻十二指腸管群と比べて良好な結果であった。

胃瘻造設後の肺炎発症の予測因子としては，胃食道逆流の存在や，咽喉頭の唾液貯留の研究が報告されている。胃瘻造設患者における造設前後での肺炎発症率について比較した後ろ向き研究[8]でも，胃瘻造設術による肺炎の発症率の低下を認めなかった。この研究では，胃瘻造設術と肺炎の発症に関係する因子として逆流性食道炎や食道裂孔ヘルニアの存在に注目し，逆流性食道炎や食道裂孔ヘルニアが存在し胃瘻造設術前に肺炎を発症していた患者においては，胃瘻造設術前に肺炎を発症していなかった症例と比べて胃瘻造設術後の肺炎発症率が高いことを明らかにし，胃瘻造設術では肺炎発症の抑制はできないと結論づけている。また，内視鏡による咽喉頭の唾液貯留がある場合，唾液貯留がない場合と比較し胃瘻造設術後の肺炎発症率が高く[5]，胃瘻造設術群と経鼻胃管群との比較では胃瘻造設術群の方が肺炎発症率が低かった[9]。

参考文献

1）鈴木 裕，上野文昭，蟹江治郎．経皮内視鏡的胃瘻造設術ガイドライン．消化器内視鏡ガイドライン（日本消化器内視鏡学会監） 第3版．医学書院，東京，2006，pp.310-323.
2）社団法人日本老年医学会．高齢者ケアの意思決定プロセスに関するガイドライン 人工的水分・栄養補給の導入を中心として．2012.
https://jpn-geriat-soc.or.jp/proposal/pdf/jgs_ahn_gl_2012.pdf（2024年4月13日参照）
3）一般社団法人日本呼吸器学会．成人肺炎診療ガイドライン2017ポケット版．2017.
https://www.jrs.or.jp/publication/file/adult_pneumonia_p.pdf（2024年4月13日参照）

4) Gomes CA Jr, Andriolo RB, Bennett C, et al. Percutaneous endoscopic gastrostomy versus nasogastric tube feeding for adults with swallowing disturbances. Cochrane Database Syst Rev. 2015；2015：CD008096.（レベルⅠ）
嚥下障害のある成人に対するPEGの有効性と安全性を経鼻胃管と比較したメタアナリシスである。栄養補給の中断，チューブの閉塞または漏出，治療への不遵守といった介入失敗は，PEGの方がNGTに比べて発生率が有意に低かった。一方で，両群間の死亡率や，誤嚥性肺炎などの有害事象に有意差はみられなかった。栄養状態に関しては，PEGの使用がNGTよりも有利である可能性があり，患者はPEGを使用するときに生活の質が高まる可能性がある。PEGは介入失敗の確率が低く，NGTと比較してPEGがより効果的で安全である可能性が示唆された。
5) Goldberg LS, Altman KW. The role of gastrostomy tube placement in advanced dementia with dysphagia：a critical review. Clin Interv Aging. 2014；9：1733-1739.（レベルⅠ）
認知症患者における胃瘻造設の有無が長期生存期間に与える影響を調査したシステマティックレビューである。いずれの文献においても胃瘻造設による長期生存期間を延長させるというエビデンスは得られなかった。患者ごとに倫理的な観点や栄養・脱水の状態など様々な観点から胃瘻造設については決定されるべきである，と結語に記載されている。
6) 寺井敏，岩佐康行．摂食・嚥下機能障害を有する高度要介護高齢者に対する経皮内視鏡的胃瘻造設術（PEG）施行後の転帰　後ろ向き研究．日本老年医学会雑誌．2012；49：602-607．（レベルⅣb）
肺炎の診断で入院した症例のうち胃瘻造設を行いその後の経過を追えた57症例を対象とした後ろ向き研究である。最低1年以上の経過観察を行い，胃瘻造設しても57症例中51症例が死亡し，その中でも肺炎で死亡した症例が45症例であった。筆者らは，認知機能障害とADL低下を有する高度要介護高齢者においてはPEGの造設によるADLの向上や肺炎予防効果は期待できない，と結論づけている。
7) Yuan T, Zeng G, Yang Q, et al. The effects of total enteral nutrition via nasal feeding and percutaneous radiologic gastrostomy in patients with dysphagia following a cerebral infarction. Am J Transl Res. 2021；13：6352-6361.（レベルⅡ）
脳梗塞急性期患者160症例を対象に，経鼻十二指腸チューブを留置した群（control group：CG）と胃瘻造設を行なった群（observation group：OG）での介入後の栄養状態や合併症，QOLの変化について解析したランダム化比較試験である。CG，OGともに栄養状態の改善に寄与できたが2群間に差は認めなかった。胃瘻造設したOGでは，CGと比べて統計学的有意差をもって合併症の発生頻度が高かった（$p<0.05$）。一方で，経管栄養のコンプライアンスやQOLの観点からは，胃瘻造設を行なったOGの方がCGと比べて良好な結果であった（$p<0.05$）。急性期脳梗塞患者に対象を限定しているため，さらなる解析が必要と結論づけている。
8) Chang WK, Huang HH, Lin HH, et al. Evaluation of oropharyngeal dysphagia in patients who underwent percutaneous endoscopic gastrostomy：Stratification risk of pneumonia. JPEN J Parenter Enteral Nutr. 2020；44：239-245.（レベルⅣb）
胃瘻造設された患者88症例を対象に，嚥下機能と肺炎発症率との関係を調査した後ろ向き研究である。梨状陥凹の唾液貯留の重症度は肺炎発症率に影響を与えており，咳反射の存在は死亡率に影響を与えていることを明らかにした。
9) Chang WK, Huang HH, Lin HH, et al. Percutaneous endoscopic gastrostomy versus nasogastric tube feeding：Oropharyngeal dysphagia increases risk for pneumonia requiring hospital admission. Nutrients. 2019；11：2969.（レベルⅣb）
胃瘻造設（PEG）と経鼻胃管（NGT）が実施された227症例において，入院加療を要する肺炎の発症と咽喉頭の唾液貯留の重症度の関係性を後ろ向きに解析している。特に咽喉頭に多くの唾液貯留を認める症例においては，PEGがNGTと比べて入院を必要とする肺炎の発症率が低いことを明らかとした。

CQ13 重症嚥下障害患者に対する誤嚥防止手術は，生活の質（QOL）の改善に有用か？

推奨

重度嚥下障害に対する誤嚥防止手術は，経口摂取状況・日常動作機能・炎症反応・気管吸引回数・医療経済的負担を改善する効果があり，患者および介護者のQOL改善につながる。一方で，術後には発声機能などを失う欠点がある。このため，保存的治療に抵抗する重度嚥下障害に対しては，患者や家族の希望や生活環境などを考慮した上で，誤嚥防止手術を検討することが望まれる。
【弱い推奨，合意率88％（15／17）】

背景

重度の脳血管障害や進行性神経変性疾患などでは，嚥下訓練などの保存的治療にもかかわらず経口摂取機能の十分な改善が得られず，誤嚥性肺炎を反復することがある。特に高齢者においては，誤嚥性肺炎が主要な死因の一つになるとともに，食べる喜びが失われることや身体機能の低下につながる。また，誤嚥に対する頻回の気管吸引などの気道管理を要する場合もあり，その結果，患者はもとより家族や介護者のQOL低下もきたす。このような例に対する誤嚥防止手術は，重度の嚥下障害に対し誤嚥性肺炎を防止する手段として，近年実施例が増加している。

益と害の評価

益：誤嚥性肺炎予防，経口摂取の改善，患者および家族の負担軽減
害：発声機能喪失，鼻呼吸機能喪失（嗅覚障害など），日常生活上の制限，手術侵襲

解説

誤嚥防止手術は，咽頭や食道などの食物通過路と下気道を手術により分離することで，嚥下時の食物や唾液誤嚥を確実に防止する手術である。術式として喉頭摘出術，気管食道分離術，喉頭気管分離術，声門閉鎖術などがある[1)]。保存的治療に抵抗する重度の嚥下障害や，進行性の神経変性疾患などによる嚥下障害で，誤嚥性肺炎を反復するもしくはその可能性が高く，かつ，改善の見込みがない例が適応になる。これらの手術後には食物や唾液誤嚥を確実に防ぐことができる。その結果，吸引頻度や炎症反応を有意に減少させ，栄養状態や日常生活動作機能指標（Barthel index）の改善も得ることができる[2-4)]。また，嚥下時の誤嚥や窒息のリスクがなくなることで，経口摂取の回復につながることも期待でき，KimuraらやKoyamaらは，経口摂取能力の指標であるFunctional Oral Intake Scale（FOIS）が有意に改善すると報告している。その結果，患者はもとより家族や介護者のQOL改善にもつながる[2,5)]。また，医療経済的負担の軽減にもつながる[4)]。

一方で，誤嚥防止手術の術後には発声機能を喪失し，コミュニケーション機能が大きく低下する。鼻呼吸機能の喪失による嗅覚障害や下気道粘膜障害，入浴等の日常生活上の制限なども生じる。また，手術実施に関連する身体的負担や術後の創部感染などのリスクもある。このため，誤嚥防止手術の適応は慎重に検討したうえで，患者および家族には手術の益と害を十分に説明し，同意を得て実施することが求められる。

参考文献

1) Ueha R, Magdayao RB, Koyama M, et al. Aspiration prevention surgeries：a review. Respir Res. 2023；24：43.（レベルⅣ）
誤嚥防止手術のレビュー論文である。誤嚥防止手術により，50～80％の患者で誤嚥が防止され，経口摂取量が増加した。ほとんどの患者は誤嚥防止手術後に発声機能を失うが，喉頭全摘術や喉頭気管分離術を受けた患者の中には，気管食道シャントや人工喉頭の使用により発声機能を回復した例もある。さらに，誤嚥防止手術は，吸引頻度を減少させることにより，患者とその介護者のQOLを改善する。

2) Kimura Y, Kishimoto S, Sumi T, et al. Improving the quality of life of patients with severe dysphagia by surgically closing the larynx. Ann Otol Rhinol Laryngol. 2019；128：96-103.（レベルⅣb）
誤嚥防止目的に喉頭閉鎖術を行った9症例を対象に，術前後の経口摂取状況（FOIS），日常生活動作機能指標（Barthel index），栄養状況（Alb値，末梢リンパ球数），炎症反応（CRP値），満足度，吸引頻度を比較した。術前と比較して術後の経口摂取状況，日常生活動作機能，炎症反応，患者や家族の満足度，吸引回数が有意に改善した。喉頭閉鎖術は，不可逆な重度嚥下障害と構音・発声機能障害を持つ患者にとっては適切な選択であり，患者と介護者の双方にとってQOL改善に寄与し，介護者の満足度を向上させる。

3) Koyama M, Ueha R, Sato T, et al. Aspiration prevention surgery：Clinical factors associated with improvements in oral status intake and suction frequency. Otolaryngol Head Neck Surg. 2023；168：1146-1155.（レベルⅤ）
誤嚥防止手術を受けた患者100例の臨床的特徴，経口摂取状態（FOIS），術前後の吸引回数，術後合併症のリスク因子，術後の経口摂取状態の改善に寄与する因子を検索した。術後，78％の患者でFOISスコアの改善がみられ，85％の症例で吸引回数が減少した。術後合併症は10例（10％）に認められ，創感染6例，出血4例であったが，すべて改善した。

4) 福家 智仁，伊藤 裕之，加藤 孝邦，他．日気食会報．2007；58：371-376．（レベルⅤ）
末期の進行性神経疾患3症例（進行性核上性麻痺，パーキンソン病，不明）に誤嚥防止手術を行い，吸痰回数に注目して患者と介護者のQOLを検討した。手術後には，吸痰回数が減少することで患者と介護者の生活の質が改善した。さらに気管カニューレが不要となり，経済的な負担も軽減した。嚥下性肺炎に対する誤嚥防止術は，患者だけでなく介護者の負担を考慮して，その適応を検討するべきである。

5) Jin X, Gu W, Li W, et al. Quality of life in treating persistent neurogenic dysphagia with cricopharyngeal myotomy. Dysphagia. 2020；35：314-320.（レベルⅣb）
脳卒中や側頭骨手術後6ヶ月以上経過した嚥下障害患者22名を対象とし，輪状咽頭筋切断術後のQOLを中国版嚥下QOL調査票（CSWAL-QOL）により評価した。術前のCSWAL-QOLスコアは1000点満点中377.7点（311.3-493.0），術後のスコアは641.7点（293.7-758.3），術前の嚥下困難頻度スコアの中央値は，41.4（25.7-61.4），術後のスコア中央値は64.3（24.3-80.0）で術前と術後には，有意な差がみられた。

索引

和文索引

欧文索引

『嚥下障害診療ガイドライン2024年版』
Web動画の視聴方法

下記のWebサイトにて，嚥下内視鏡検査・嚥下造影検査の動画の視聴が可能です（説明はpp.94～96参照）。

URL https://www.kanehara-shuppan.co.jp/support-top/gl-dysphagia2024/

ログインパスワード GL-Dysphagia2024

当Webサイト利用上のご注意

・当Webサイトでは動画共有サイトVimeo®を使用しています。

・当社ではWeb動画に関するサポートは行いません。再生によって生じたいかなる損害についても，著作権者，当社および動画製作関係者は一切の責任を負いません。また，当Webサイトのサービスは著作権者および当社の都合によりいつでも変更・停止できるものとします。

収載動画

嚥下内視鏡検査

A. 検査手順および正常所見

B. 検査食を嚥下しない状態での異常所見 1. 筋萎縮性側索硬化症例 2. パーキンソン病例 3. 脳幹梗塞例 4. ALS例 5. 脳梗塞例 6. 頸椎骨棘増殖症（Forestier病）例 7. 下咽頭癌例

C. 検査食を嚥下する状態での異常所見 1. 頸椎前方固定術後例 2. 加齢性嚥下障害例 3. パーキンソン病例 4. 脳梗塞例 5. 陳旧性脳梗塞症例 6. 封入体筋炎例 7. 筋萎縮性側索硬化症例 8. 筋サルコイドーシスによる輪状咽頭筋ミオパチー例 9. 脳幹梗塞例1 10. 脳幹梗塞例2 11. 脳幹梗塞例3

嚥下造影検査

A. 正常所見 1. 液体造影剤の命令嚥下 2. クッキーの咀嚼嚥下

B. 異常所見 1. 口腔期障害 ①咽頭への移送障害 ②口腔内保持不良
2. 咽頭期障害 ①鼻咽腔閉鎖不全 ②嚥下反射の惹起遅延 ③喉頭挙上障害 ④食道入口部開大障害 ⑤舌根運動・咽頭収縮障害 ⑥嚥下反射の惹起不全
3. 食道期障害 ①頸部食道の器質的狭窄 ②食道web ③食道気管支瘻 ④食道アカラシア ⑤胃食道逆流症

C. 誤嚥した症例 症例1～14

D. 手術症例の提示 1. 輪状咽頭筋切断術 2. 内視鏡下輪状咽頭筋切断術 3. 喉頭挙上術＋輪状咽頭筋切断術 4. 声門閉鎖術 5. 喉頭気管分離術 6. 気管食道吻合 7. 喉頭全摘出術

『嚥下障害診療ガイドライン2024年版』
Web動画の内容と説明

嚥下内視鏡検査

A. 検査手順および正常所見

鼻咽腔閉鎖機能，中・下咽頭の唾液貯留，声帯運動や声門閉鎖反射の惹起性を観察する。次いで着色水嚥下を指示し，嚥下反射の惹起性および嚥下後の咽頭残留を観察する。本例では，さらにゼリーの指示嚥下および咀嚼嚥下も併せて行っている。

B. 検査食を嚥下しない状態での異常所見

1. 筋萎縮性側索硬化症例

舌萎縮と線維束性収縮を認める。

2. パーキンソン病例

舌根部に非周期的な不随意運動（ジスキネジア）を認める。

3. 脳幹梗塞例

咽頭，喉頭に周期的な収縮運動（ミオクローヌス）を認める。

4. ALS例

披裂部に小刻みな収縮（線維束性収縮）を認める。

5. 脳梗塞例

喉頭蓋谷および梨状陥凹に多量の唾液貯留を認める（兵頭スコアの2点相当）。

6. 頸椎骨棘増殖症（Forestier病）例

咽頭後壁粘膜の咽頭腔への突出を認める。

7. 下咽頭癌例

右梨状陥凹優位の唾液貯留，咽頭後壁に腫瘍異性病変を認める。詳細に観察することで，下咽頭後壁癌による食道入口部通過障害との診断に至った。

C. 検査食を嚥下する状態での異常所見

1. 頸椎前方固定術後例

着色水嚥下時にむせ込みがあり，梨状陥凹への着色水残留も多いが，嚥下後には喉頭腔や気管内に着色水を認めず，咳嗽により喀出できている。

2. 加齢性嚥下障害例

嚥下時に着色水が喉頭蓋谷へ流入するのが観察でき（兵頭スコアの1点相当），軽度の嚥下反射惹起遅延を認める。

3. パーキンソン病例

嚥下時に着色水が喉頭蓋谷へ流入するのが観察でき（兵頭スコアの1点相当），軽度の嚥下反射惹起遅延を認める。

4. 脳梗塞例

嚥下時に着色水が梨状陥凹へ流入するのが観察でき（兵頭スコアの2点相当），中等度の嚥下反射惹起遅延を認める。

5. **陳旧性脳梗塞症例**

着色水が梨状陥凹へ流入しても嚥下反射が惹起されず（兵頭スコアの3点相当），高度の嚥下反射惹起遅延を認める。

6. **封入体筋炎例**

喉頭蓋谷および梨状陥凹に軽度の唾液貯留を認め，着色水が梨状陥凹に流入しても嚥下反射が惹起されない。咽頭収縮が不良で，着色水の咽頭残留や誤嚥も認める。

7. **筋萎縮性側索硬化症例**

着色水の分割嚥下を認める。

8. **筋サルコイドーシスによる輪状咽頭筋ミオパチー例**

嚥下指示前に着色水が中・下咽頭に流入する（早期咽頭流入）。咽頭収縮も不良で，嚥下後も梨状陥凹への残留が多い。

9. **脳幹梗塞例1**

左咽頭麻痺により，左側優位に梨状陥凹の唾液貯留を認める。着色水嚥下時には嚥下反射の惹起遅延があり，咽頭収縮不全のため明瞭なホワイトアウトが確認できない。誤嚥もみられ，嚥下後も左梨状陥凹に着色水残留を認める。

10. **脳幹梗塞例2**

左咽頭麻痺により，左側優位に喉頭蓋谷および梨状陥凹に多量の唾液貯留を認める。着色水嚥下時には咽頭収縮不全のためホワイトアウトが見られず，嚥下後も梨状陥凹への残留が多い。気管内への誤嚥も認める。

11. **脳幹梗塞例3**

左咽頭麻痺があるが，右側咽頭機能により代償され，嚥下後の咽頭クリアランスは良好である。

嚥下造影検査

A. 正常所見

1. **液体造影剤の命令嚥下**
2. **クッキーの咀嚼嚥下**

B. 異常所見

1. **口腔期障害**

①咽頭への移送障害：脳梗塞後遺症（偽性球麻痺）

②口腔内保持不良：筋萎縮性側索硬化症（ALS）

2. **咽頭期障害**

①鼻咽腔閉鎖不全

症例1：神経筋変性疾患の疑い　症例2：重症筋無力症　症例3：球脊髄性筋萎縮症

②嚥下反射の惹起遅延

症例1：眼咽頭型筋ジストロフィー　症例2：多系統萎縮症（MSA-P）

③喉頭挙上障害

症例：再発性脳梗塞

④食道入口部開大障害

症例1：左延髄外側症候群　症例2：延髄外側症候群　症例3：封入体筋炎

⑤舌根運動・咽頭収縮障害

症例1：パーキンソン病　　症例2：腹部大動脈置換術後

⑥嚥下反射の惹起不全

症例：延髄外側症候群

3. 食道期障害

①頸部食道の器質的狭窄

症例1：Forestier病　　症例2：頸部食道癌1　　症例3：頸部食道癌2

②食道web

症例：Plummer-Vinson病

③食道気管支瘻

④食道アカラシア

⑤胃食道逆流症

C. 誤嚥した症例

	早期咽頭流入	鼻咽腔閉鎖不全	嚥下反射の惹起遅延	喉頭挙上障害	喉頭閉鎖不全	咽頭収縮不全	食道入口部開大不全	咳反射の減弱
症例1：多系統萎縮症	○		◎		○	◎	◎	
症例2：下咽頭癌放射線治療後			◎		◎	◎	○	○
症例3：誤嚥性肺炎，加齢性嚥下障害（78歳）	○		○	○	◎	◎	○	◎
症例4：食道癌術後				◎	◎	○		◎
症例5：筋強直性ジストロフィー		○		○	◎	◎	◎	◎
症例6：パーキンソン病				○	◎	◎	◎	◎
症例7：眼咽頭型筋ジストロフィー		◎		○	◎	◎	◎	
症例8：中咽頭癌放射線治療後					○	○		◎
症例9：筋萎縮性側索硬化症	○	○		◎	◎	◎	◎	◎
症例10：左延髄梗塞			○		◎	◎	◎	○
症例11：パーキンソン病						◎	○	○
症例12：加齢性嚥下障害（98歳）		○	○	○	○	◎	○	◎
症例13：甲状腺悪性リンパ腫術後，左反回神経麻痺				○	◎			◎
症例14：加齢性嚥下障害・直腸穿孔・術後せん妄（86歳）		◎	○	○	○	◎	○	◎

○：当該項目の所見あり，◎：特に典型的な所見が見られる症例

D. 手術症例の提示

1. 輪状咽頭筋切断術（脳幹梗塞）
2. 内視鏡下輪状咽頭筋切断術（封入体筋炎）
3. 喉頭挙上術＋輪状咽頭筋切断術（脳幹梗塞）
4. 声門閉鎖術［多系統萎縮症（MSA-P）］
5. 喉頭気管分離術（舌癌術後・放射線治療後）
6. 気管食道吻合術（聾唖合併例　原因不明）
7. 喉頭全摘出術（筋強直性ジストロフィー）

嚥下障害診療ガイドライン 2024年版［Web動画付］

2008年8月1日　第1版（2008年版）発行
2012年5月15日　第2版（2012年版）発行
2018年9月10日　第3版（2018年版）発行
2024年9月25日　第4版（2024年版）第1刷発行

編　集　一般社団法人 日本耳鼻咽喉科頭頸部外科学会

発行者　福村　直樹
発行所　金原出版株式会社
〒113-0034　東京都文京区湯島2-31-14
電話　編集（03）3811-7162
営業（03）3811-7184
FAX　（03）3813-0288
振替口座　00120-4-151494
http://www.kanehara-shuppan.co.jp/

ISBN 978-4-307-37137-7
印刷・製本／真興社